LA TRILOGIE CARIBÉENNE DE DANIEL MAXIMIN

KARTHALA sur internet : http://www.karthala.com

Couverture : *Colibri* (1987).
Dessin sur carton glacé de Victor Permal,
peintre martiniquais.

© Éditions KARTHALA, 2000
ISBN : 2-86537-956-6

Christiane Chaulet-Achour

La trilogie caribéenne de
Daniel Maximin

Analyse et contrepoint

Éditions KARTHALA
22-24, boulevard Arago
75013 PARIS

PUBLICATIONS RÉCENTES DE DANIEL MAXIMIN

Une enfance d'ailleurs : 17 écrivains racontent. Textes inédits recueillis par Nancy Huston et Leïla Sebbar, Paris, Belfond, 1993, 270 p.

L'invention des désirades, Paris, Présence Africaine, 2000, 120 p.

Sous le signe du colibri

Cet ouvrage se propose d'analyser les trois romans publiés à ce jour par Daniel Maximin. Cette analyse a été soumise à la lecture de l'écrivain qui a prolongé l'apport du discours critique par ses interventions orales. *Dialogue* d'une écriture, celle de l'analyste et d'une voix, celle de Daniel Maximin, enregistrée au fil d'entretiens ou de conférences devant des étudiants de Lettres à Caen et à Cergy-Pontoise. Signalés par l'italique, ces propos – dont on a conservé autant que possible la spontanéité et l'immédiateté orales –, ont été intégrés à l'ouvrage. La voix du romancier intervient donc en contrepoint de la démonstration critique. L'ouvrage offre, en conséquence, une double expression, réalisant le vœu exprimé dans *L'Île et une nuit* : « Chaque livre en appelle un autre pour offrir un lendemain à sa fin. » (p. 48.) Est-il besoin de souligner le privilège qu'ont été, pour le critique, cette lecture et cet accompagnement sur une œuvre encore ouverte, même si, pour l'instant, la trilogie achevée semble avoir éloigné les personnages qui nous sont familiers ?

Complicité vivifiante, connivence ludique et terriblement sérieuse : sont-elles seulement le fruit de la rencontre de deux subjectivités partageant un univers de fiction ? En partie, sans doute. Mais plus profondément, elles viennent aussi de nos ancrages géographiques dont le romancier a su évoquer la jonction.

Méditerranée et Caraïbe, deux mers, deux centres de mondes, où le monde entier s'est donné rendez-vous. C'est sans doute ce qui cimente nos fraternités, que j'ai tenu à symboliser dès les premières pages du premier roman, avec le personnage d'Ève. La Caraïbe et la Méditerranée sont pour moi sœurs sur la terre, par la rencontre en elles de trois ou quatre continents, pour faire une île ou édifier une ville.

La Méditerranée, si anciennement métisse, fécondée d'invasions transcontinentales, aussi à la naissance de trois grandes religions dont la force centrifuge a répandu sur le monde tant le sel que les larmes.

La Caraïbe, qui fait se rencontrer l'Europe, l'Asie et l'Afrique en Amérique, dans cette civilisation de la plantation, ce « paradis raté » qui va de la Nouvelle-Orléans jusqu'à Bahia, en passant par notre chapelet d'îles qui constituent autant d'Arches de Noé...

D'où la vitalité des soifs de cousinages avec le monde tout entier, la conscience de voisinages, qui font que des écrits algériens ou antillais, de Césaire ou Camus, de Mimouni ou Djaout, de Kateb ou Zobel, de Schwarz-Bart ou Placoly, se particularisent et se ressemblent par le naturel de leur vocation à l'universel. Comme si dans ces lieux, les sources culturelles naviguaient en eaux profondes, échappant aux frontières des couleurs et des langages, aux rives du temps et des croyances, en dépit des différences embarquées.

Avec de plus des métissages de géographies à tous les horizons de leurs mers intérieures, une synthèse de paysages, du volcan à la plage, de l'île à la ville, de sécheresse en déluge, de séisme en bonace, de sel et de soleil, qui réunissent encore par la commune variété des décors, leurs connivences sous-marines trop méconnues...

* * * *

L'ouvrage lui-même se subdivise en huit chapitres. L'ordre choisi a été d'aller du plus « technique », au regard du travail de l'écriture, au plus signifiant par rapport aux référents et aux références que le texte convoque, digère et transforme pour donner une écriture inédite. R.-B. Fonkoua met clairement en valeur les deux dimensions de l'activité littéraire de Maximin : « se débarrasser de l'obstacle de la référence pour produire un discours antillais authentique » ; et, pour ce faire, avoir l'exigence de connaître « sa propre identité qui seule crée la dynamique de la générosité et de l'ouverture à l'autre[1] ».

L'écriture de Maximin se différencie de l'écriture de ses prédécesseurs ou de certains de ses contemporains, en ne recherchant pas une identité perdue dans le miroir de l'origine ou dans l'ordonnancement de faits historiques épars et factuels, mais en affirmant son existence « par une longue interrogation collective sur l'écriture même aux Antilles[2] ».

Voix multiples convoquées en texte : il allait de soi, pour notre première entrée dans cet univers romanesque, de nous placer dans « l'ordre du discours » instauré par la création et de nous poser la question, titre de notre premier chapitre : Qui parle dans la trilogie ? De quoi est faite cette « interrogation collective » ? Dans quelle position de communication, le romancier veut-il nous placer par rapport à sa création ?

Le second chapitre met à jour l'architecture des œuvres dont la complexité, l'ouverture et l'hétérogénéité ont dérouté plus d'un lecteur tout en exerçant le pouvoir de fascination et d'attraction de tout puzzle jusqu'à l'encastrement de l'ultime pièce. Cette construction narrative est suivie de roman en roman et aboutit à une sorte de pyramide où la signification de l'ensemble s'ordonne. Il ne s'agissait pas de « retrouver » un schéma pré-construit à partir duquel l'écrivain aurait écrit mais de dégager des voies de signification pour mieux saisir un projet dans son accomplissement.

Le chapitre trois piste toutes les « pièces rapportées » qui trouvent place dans l'ensemble. Ces motifs et ces citations n'ont de sens que dans leur conjugaison. Néanmoins, il était intéressant de les saisir en les isolant pour mieux apprécier leur insertion dans l'écriture, son fonctionnement et sa fonction. Plus encore que dans les pages précédentes, ce que le romancier acceptait de nous dire sur son travail, sans hermétisme ni mystère, nous a éclairés par

---

1. R.-B. Fonkoua, *Les écrivains antillais et leurs Antilles*, 2 tomes, 880 p. Thèse de doctorat nouveau régime, Université de Lille III, sous la direction de B. Mouralis, juin 1990, p. 814.
2. *Ibid.*, p. 678.

rapport à nos intuitions et nos premiers décryptages. Le côté extrêmement ludique de l'acte d'écrire apparaît avec clarté. L'écriture est dialogue, échange, écoute, reprise et transformation : « N'aie pas peur de disparaître ou de renaître par d'autres voix », peut-on lire dans *L'Île et une nuit* (p. 166).

Dans ce jeu avec l'antériorité et le déjà-là culturel, nous avons alors, dans notre chapitre quatre, privilégié la voix du conte car elle n'est pas repli nostalgique mais ferment d'une tension d'avenir refusant la maîtrise et la domination et favorisant la double liberté de l'écrivain et de son lecteur : « Élisa, l'eau ne remonte pas les mornes, mais j'ai toujours la soif de t'écouter demain », peut-on entendre dans *Soufrières*. L'importance du conte est patente car il est la « prophétie de notre meilleur avenir » et parce qu'il sait puiser, dans l'universel, les sources de son dynamisme d'invention : « notre regard sera à la hauteur du vol des colibris ». *(L'Isolé Soleil)* Cette exhortation revient à plusieurs reprises dans la trilogie.

Le recours à l'imaginaire du conte éclaire la manière dont Maximin intègre la matière historique :

> « Au moment où chaque spectateur va se perdre dans le mythe collectif ou dans un paradis intérieur, voilà que le conteur, vif comme Colibri réveillant Crapaud interpelle l'auditoire avec le fameux : "Cric, Crac" [...] Voilà que le conteur le ramène à l'ici et au maintenant, pour mieux lui rappeler que tout rêve doit se préoccuper de son réveil[3]. »

Cette matière historique ne justifie pas une origine et des passe-relles entre mythe et Histoire pour l'être antillais d'aujourd'hui. En créateur qui met en dialogue des éléments divers et une obser-vation du vivant, il montre conjointement la nécessité et l'insuf-fisance du devoir de mémoire : « La créativité culturelle apparaît donc bien ici comme la condition même d'expression d'une identité réinventée, immigrée sans terre promise, émigrée sans

---

3.   D. Maximin, « L'identité de la littérature aux Antilles », in *Le Roman francophone actuel en Algérie et aux Antilles*, études réunies par D. de Ruyter-Tognotti et M. van Strien-Chardonneau, CRIN 34, 1998, p. 72.

référence de retour[4]. » Dans notre chapitre cinq, *L'Isolé Soleil* est privilégié car c'est lui qui s'attarde sur le traitement de l'Histoire.

Le chapitre six choisit un lieu révélateur du rapport au passé : le personnage du Rebelle. La partition que joue le romancier guadeloupéen sur ce « mythe » donne la mesure de sa relation de filiation – de fraternité préfère-t-il dire –, avec Aimé Césaire. Une mise en dialogue de son roman avec un roman postérieur de Patrick Chamoiseau permet de mieux cerner la manière dont il fait vaciller le mythe. Ces lectures parallèles et croisées juxtaposent des perceptions convergentes et différentes du réel antillais.

Résistance négociée plutôt qu'absolu de la révolte : la figure du Marron s'estompe pour laisser en pleine lumière celle de la femme, dans notre chapitre sept. Ici aussi, l'originalité de la trilogie sur cette question était mieux soulignée si on la mettait en parallèle avec un texte antérieur – de plus d'un siècle – celui de Victor Hugo, *Bug-Jargal*. Le renversement des points de vue, dans ces regards portés sur les femmes, éclaire la place première donnée à la féminité dans cette résistance, expression et preuve de l'existence de la culture antillaise.

Le chapitre huit, le dernier, achève cette construction interprétative par l'examen d'un leitmotiv lancinant des trois romans : se réconcilier avec la géographie. Le rapport physique au pays est une dimension essentielle de la trilogie : ce n'est pas une île à contempler mais une île à vivre dans toute sa dimension humaine indissociable de ses caractéristiques géographiques.

« Avec Glissant, écrit R.-B. Fonkoua, on pouvait dire, je suis antillais, par l'analogie entre cet espace qui est mien et moi-même. Avec Maximin, on dépasse le stade de la reconnaissance qu'entraîne nécessairement l'affirmation de l'identité pour souligner le caractère imaginaire de la nature des Antilles. On pourrait dire : je suis antillais par la fraternité qui me lie à l'autre, considéré comme une autre part de moi-même[5]. »

---

4. D. Maximin, art. cit., p. 72.
5. R.-B. Fonkoua, *op. cit.*, p. 815. *Cf.* toute l'analyse du rapport au géographique sous le titre, « Écriture et enracinement : géographie physique / géographie humaine », p. 815 *et sq.*

Le parcours dessiné dans cet ouvrage n'est qu'un des parcours possibles à travers cette écriture majeure. Il a le désir d'ouvrir les portes et non d'emprisonner les sens. Aussi une conclusion était inadéquate. S'imposait par contre alors une inversion des voix. L'envoi final, « Afin de ne pas finir... » a laissé souveraine la voix du romancier qui effleure les silences de la recherche critique sur l'amour et sur la musique pour impulser de nouvelles lectures.

Au seuil de ce livre à deux voix où la parole du critique apparaît bien aride et austère à côté de celle du poète, me vient l'envie de rappeler, pour dissiper ce déséquilibre, quelques phrases du conte...

Coulibri voit bien qu'il faut défendre son corps...
— Crapaud, tu veux bien manier le tambour-ka, oui ?
Crapaud enjambe le tambour, et commence à battre clip, clip, clip, clim-clim, en chantant comme pour les zombis...
Ça chauffait, ça chauffait...
Crapaud de toute sa force battait le tambour, et ça donnait du courage à Coulibri...

Avec le souhait que le poète ne soit pas toujours Colibri
et le critique, seulement, Crapaud tambourineur.
Avec le désir d'une complémentarité.

1

Qui parle dans la trilogie ?

Plusieurs énonciateurs se partagent la parole dans les trois romans qui composent la trilogie. Le « je » apparaît fréquemment et justifie la question que l'on peut poser à cette œuvre : celle d'une contamination par le genre autobiographique.

Si l'on s'en tient à la définition de P. Lejeune, serait auto-biographique, « le récit rétrospectif en prose que quelqu'un fait de sa propre existence quand il met l'accent principal sur sa vie individuelle en particulier sur l'histoire de sa personnalité[1] ».

Au regard de cette définition, la trilogie ne pourrait s'inscrire dans le genre puisque ce n'est pas un personnage unique qui fait le récit de sa propre existence ; nous suivons plusieurs personnages dont récits et confidences s'entrecroisent. Toutefois, on peut pressentir un double énonciateur « autobiographique » : Marie-Gabriel, la voix dominante, maître d'œuvre intradiégétique de l'écriture et Adrien, son ami et correspondant à Paris. Ils racontent leurs vies ou, plus exactement, ils racontent les vies d'une collectivité et d'une génération, la leur. Ces fictions nous déportent du côté de la construction identitaire collective plutôt que du côté d'une construction identitaire individuelle, en passant par deux voix privilégiées, double aspect d'une même personnalité. Il est plus judicieux alors, pour rendre compte de l'énonciation dans les romans, de parler de traces autobiographiques se mêlant à d'autres traces.

---

1.   Voici les dates des trois romans de la trilogie, tous édités au Seuil (Paris) :
       1981, 1987 et 1995.
       P. Lejeune, *L'autobiographie en France*, A. Colin, 1971, p. 14.

Dans ce double pôle des énoncés autobiographiques dont nous parlions, la voix d'Adrien et ce qui nous est raconté de sa vie, a de nombreux points de convergence avec l'auteur : elle est la plus à même de nous faire saisir la fusion – recréée – entre sujet fictif et sujet autobiographique. Adrien est le seul à dire : « Moi, je... », alpha de toute ouverture autobiographique classique. Par ailleurs, * dans *L'Isolé Soleil*, la troisième partie qui porte le même titre que le roman désigne explicitement Adrien ; elle contient sa lettre à Marie-Gabriel et son *Cahier d'écritures* ;
* dans *Soufrières* une de ses lettres (pp. 69 à 71) et deux fragments de *Cahier* (pp. 117-134 et p. 185) sont inclus dans le récit ;
* dans *L'Île et une nuit*, la troisième heure lui est adressée ; des personnages antérieurs, il est celui qui revient le plus fréquemment dans la solitude de Marie-Gabriel.

Signalons enfin, pour justifier notre choix d'Adrien, un texte, ouvertement autobiographique, autonome par rapport à la trilogie, *Les Antilles à l'œil nu*, publié en 1993[2].

Avec Adrien, on cerne le personnage de l'exilé sans exil puisqu'il habite sa culture et sa langue ; du poète en quête de lui-même et des siens par l'exploration du mot : « Écrire un poème, c'est avoir envie de jouer à cache-cache entre les slogans de la manifestation à laquelle on participe » lit-on dans *L'Isolé Soleil* (p. 96). Écrire, c'est représenter sur le mode « carnavalesque » les épisodes historiques (p. 94).

> *Ce choix d'Adrien est juste. « Daniel-Adrien » pose la proximité avant la fusion, la distance ou la confusion. C'est dire que c'est très volontaire. En aucun cas, ce n'est un projet autobiographique... Le « je » s'est nourri totalement de moi. J'y tiens ! Car ma propre expérience n'a pas à être en dehors d'une pareille aventure avec d'autres, pour des raisons de refus d'autobiographie au sens habituel du terme. Il y a refus de poser l'auteur en héros principal ou en démiurge, c'est-à-dire en maître du Je parce qu'il y a chez moi essentiellement le*

---

2.   Publié dans le recueil, *Une enfance d'ailleurs, 17 écrivains racontent*, textes inédits recueillis par Nancy Huston et Leïla Sebbar, Belfond, 1993, pp. 179-193.

souci du nous... Bien entendu, l'auteur, l'écrivain reste le maître du jeu puisque c'est là que s'y rencontrent son travail, son écriture et son plaisir. Mais il n'y a pas de raison que l'expérience personnelle soit plus importante que l'expérience d'un autre – soit qu'on l'invente, soit qu'on se nourrisse d'une vérité. C'est pour cette raison qu'il y a « je-Adrien »... – c'est mon deuxième prénom, celui d'un petit frère aussi, celui d'un frère de ma mère... Familialement, c'est un prénom qui est plein de sens – et c'est une façon d'affirmer la proximité. Je suis dedans sans être confondu. Un signe généalogique qui situe une connivence, mais non une désignation auto- biographique.

Nous ne serons donc pas obnubilés par ce « Moi, je ». Il sera contrebalancé par une autre affirmation célèbre, « Je est un autre » dont P. Lejeune souligne

« l'écho extraordinaire [...] elle refait brusquement de la première personne un pur signifiant (JE), et enfonce un coin dans le mythe du sujet plein. À prendre littéralement et dans tous les sens [...] (elle) porte le soupçon au cœur même de l'énonciation autobiographique, là où la première personne se veut pleine et légitime[3] ».

L'écriture de la trilogie refuse le « sujet plein » et multiplie les énonciateurs et les points de vue pour interroger les représentations individuelles et collectives : non pas coulisses du sujet mais échos de personnes et de personnages dialoguant dans cette recherche de soi et des autres, en une ronde de pronoms personnels.

Ce n'est pas que le « je » soit haïssable, non, non... il est simplement insuffisant. Il n'y a pas de raison de tourner autour de lui seul : dans mon « je », c'est la relation aux autres qui m'intéresse. L'écriture n'est pas faite pour élucider une énigme personnelle. Comme, par exemple, la psychanalyse ou l'auto-analyse où ce qui est recherché est très clairement le

---

3.   P. Lejeune, *Je est un autre*, Le Seuil, 1980, p. 7.

retour sur soi, l'élucidation du même, après la reconstitution d'une sorte de roman familial qui permet de mieux savoir qui on est. Si l'autre peut se poser en obstacle dans l'auto-analyse, dans ma fiction, c'est l'inverse : on éclaircit par les autres. La meilleure façon d'être sincère par rapport à cette vérité, ce besoin d'histoire, de redécouverte du passé, c'est de poser sa marque en affirmant clairement être dedans. Mais pas à la place unique d'un supposé « maître des lieux », cela ne m'intéresse vraiment pas. Le désir d'écrire et de lire qui sont énoncés dès les premières lignes de L'Isolé Soleil *montrent que l'autobiographie est posée comme nourriture nécessaire de toute fiction mais absolument refusée comme fin en soi, comme désir d'élucidation individuelle. Le défi de la fiction, c'est de donner la parole à d'autres « je ». Créer l'autobiographie d'un autre qui, lui-même, cherche la sortie de la solitude par l'ouverture de soi à la biographie d'autres, des peuples, de l'être aimé. Croiser les biographies pour accéder à la fiction. La quête du proche à distance du même et de l'autre. Je n'ai pas à cacher l'autre derrière moi.*

L'Isolé Soleil

Adrien commence ainsi sa lettre à Marie-Gabriel, dans *L'Isolé Soleil* : « Moi, je suis amoureux des commencements. J'admire un peu tous ceux qui, comme toi, suivent un source avec assez de confiance en elle et en eux pour ne pas l'abandonner avant la mer » (p. 91). Il exprime ainsi son admiration pour cette remontée vers l'origine, pour cet intérêt pour le passé, en la tempérant d'une mise en garde contre l'idéalisation. Ce qui vient d'être raconté dans le *Cahier de Jonathan* est remis en question : quel est le sens véritable du geste de Delgrès, de ce suicide collectif héroïque au Matouba ? Que transmettent les pères ? Ne faut-il pas oublier ce culte du souvenir glorifié pour naître une seconde fois ? La culture du passé ne provoque-t-elle pas « indifférence pour l'avenir » ? (pp. 92-93).

Le pas est franchi, de ces pères qui n'ont pas su transmettre un message de vie, aux rebelles qui deviennent des dictateurs. L'accusation est lourde et brutale :

> « Le dictateur, c'est le rebelle plus une question de temps. Et seule la mort précoce sauve de la corruption du pouvoir, seuls le suicide et l'assassinat préservent la pureté du Rebelle, de Delgrès, de Toussaint Louverture et de Lumumba. » (p. 93.)

Suit une réflexion sur l'engagement et ses dérives sanglantes, sur la révolution et ses cauchemars de sang et de violence. Aussi la seule manière de parler efficacement du passé, sans se faire piéger par lui, c'est d'adopter une écriture carnavalesque pour échapper au culte et garder sa lucidité en exerçant son pouvoir de dérision.

De l'écriture carnavalesque on glisse naturellement vers le théâtre qui exerce une grande séduction sur Adrien. Le théâtre met à distance l'Histoire paralysante ; la voie est ouverte pour une réconciliation avec la géographie dans cette conjugaison, sans cesse déclinée, dans la trilogie : l'île est je, tu, il ou elle, nous.

La poésie vient à son tour porter de l'eau au moulin d'Adrien ; puis la langue dans laquelle elle s'exprime : créole, français, peu importe ! « Qu'on écrive comme on respire ! » (p. 96.)

Plus avant dans le texte (p. 252) un des personnages, Toussaint, pensera : « l'égalité parle français, la liberté parle créole » et... la fraternité parle toutes les langues entre poésie et musique, pourrait-on ajouter[4] !

Cette longue lettre d'Adrien donne les principaux thèmes de cette expression de soi ... masquée ; le masque ici n'est pas sens dérobé mais insoupçonné révélé. Ces grands thèmes sont la méfiance saine vis-à-vis du passé, la réflexion sur l'écriture et la langue, la place du théâtre, de la poésie et de la musique, les

---

4.   Question brûlante, on le sait des littératures francophones. Elle est traitée dans la trilogie, dans ces pp. 95-96 citées ici, mais aussi aux pages 211-212 lorsque Louis-Gabriel lit les annotations de Siméa sur les numéros de la revue *Tropiques* ; p. 252 lorsque Toussaint songe, en montant à la Soufrière : « que Césaire ce n'est pas du créole, mais ce n'est plus du français-France, c'est du français-pirate, du français détranglé, du français marronné ».

connivences affectives masculin-féminin (Adrien, Ève, Marie-Gabriel), l'écriture comme don et offrande à l'autre.

L'authenticité qui est en moi ne peut être visible que par le regard et la parole de l'autre. Ce que je nomme le miroir des yeux de l'autre. Sur le plan collectif, la société antillaise avance masquée. Une interrogation m'obsède : « comment faire pour que cette société ait le discours de sa réalité ? » et que les fictions puissent la montrer telle qu'elle est vraiment et non telle qu'on la suppose ou telle qu'on l'a déconstruite, niée, reniée ou déniée. On sait que cette construction a été essentiellement un déni. On ne peut reprendre ces discours : « on n'existe pas, on est aliéné, on est malade, on est – peut-être au mieux... – en quête d'identité... Or, je n'y crois absolument pas. Je dis qu'il y a un enracinement, de nos mondes qui ont été créés sans qu'il y ait eu une volonté affichée de les créer. L'esclave n'a pas dit : « je vais créer Haïti, la Guadeloupe... » Et notamment, il n'a pas dit au maître : « je suis chez moi, je vais m'enraciner, je suis légitime ». Cela s'est fait « de la main gauche » comme disent les Haïtiens, en douce, la nuit, comme une surprise, comme par une embuscade réussie par effet de surprise sur tous ceux qui ne croyaient pas à sa réussite. La création des Antilles est une espèce de divine surprise à laquelle même certains Antillais ne croient pas ! Mais le réel s'impose en bon juge : « il cause tout seul ! », dirait Lacan. Notre existence a précédé notre essence car l'être antillais est bien sorti du néant !

Dans *Soufrières*, l'autre lettre d'Adrien à Marie-Gabriel réitérera cette méfiance vis-à-vis du passé à cause de ce qu'il représente : le risque d'entrave pour l'envol vers l'avenir. Le cadeau qu'il envoie alors à son amie, concentre ses désirs et ses certitudes, *La Jungle*, reproduction du tableau de Wifredo Lam :

« pour le retour du tableau à son paysage natal des Antilles. Mais les Antilles de l'imagination au-delà des masques blanchis, les Antilles pour les initiés au regard modestement à l'affût du signal des dieux. Oui, à trente ans de distance, de cette jungle à ces jungles, il s'agit bien, là aussi d'élans déracinés, de sèves libres mais sans racines, d'apocalypses mises à nu méthodiquement, de pourritures ordonnées par des couleurs sous surveillance, et puis d'hommes-colibris, de femmes flamboyants, de lèvres-hibiscus » (p. 70).

Le *Cahier d'écritures* d'Adrien qui suit, dans *L'Isolé Soleil*, sa lettre à Marie-Gabriel fait tout à fait écho au texte auto-biographique de 1993, cité précédemment. Ici et là, même désir d'écrire pour découvrir ce que l'on a pressenti dans l'enfance, puis l'adolescence, la Caraïbe à exprimer, l'Afrique à remettre à sa juste place, le racisme à traiter « par un petit sourire de côté et un regard-calcul, épicés d'indulgence, de colère, de mépris, de honte, de détachement et de sérénité » (*L'Isolé Soleil*, p. 104). Il y a aussi le corps à décoloniser, l'identité à déclarer qui ne doit pas être confondue avec la généalogie[5] :

> « Identité
> Je voulais être SOLEIL
> J'ai joué avec les mots
> J'ai trouvé L'ISOLÉ. » (p. 114.)

On y trouve encore les quatre vérités à découvrir dans les phrases commençant par une négation à la p. 111 : nécessité de la solidarité (amour et fraternité confondus), de l'urgence d'écrire, d'observer le réel, de réécrire l'antériorité.
   On voit donc que l'expression du plus essentiel par Adrien tourne autour des rapports que l'individu entretient avec son Histoire, sa société, son espace naturel et avec sa fonction de créateur. L'autre grand thème, masqué celui-là au sens courant du terme, est celui de l'amour et des rapports de couple : dans cette île reconquise, je et tu peuvent-ils dialoguer ?
   La fin du *Cahier* d'Adrien se termine par : « je sera toujours à tu et à toi ». La petite distorsion de conjugaison dans cette formule consacrée, dit l'équivalence et le jeu de miroir. On lit d'abord

---

5.   Le point 12 du *Cahier d'écritures* d'Adrien porte le titre « Généalogie ». Le point 13, « Identité », pp. 112-114.

« Marie-Gabriel » derrière ce « tu ». Mais, à y réfléchir, c'est aussi le miroir du « je » : « il est vrai que celui qui cherche toujours l'image de l'autre dans son miroir est un Narcisse aliéné » (*L'Isolé Soleil*, p. 19). Pour échapper à l'aliénation de Narcisse, l'identité doit déborder sereinement « comme toute fleur déborde du vase » (*L'Isolé Soleil*, p. 163) : en conséquence les « je » et les « tu » se démultiplient et échangent leurs référents.

Il n'y a pas simple dialogue entre « je » et « tu » mais inter-férence et superposition en un tutoiement du « je » qui est mise à distance. Ce procédé est constant dans la trilogie. Le « tu », c'est Adrien se parlant à lui-même, c'est la voix narrative s'introduisant dans les confidences des personnages, c'est l'île, le volcan ou le manuscrit.

Dans *Prénoms de personne*, Hélène Cixous écrit :

> « Vacillation de la subjectivité, entre personne et toutes ses individualités possibles [...] un sujet capable d'être tous ceux qu'il sera, désireux d'infini, risqué loin d'un moi central, et insubor-donnable[6]. »

Ce jeu sur le « je / tu » permet d'assumer le dédoublement et la gémellité[7]. La gémellité de base – Marie-Gabriel / Adrien – fonctionnant comme la projection ludique et harmonieuse des contradictions de l'être : Marie-Gabriel réalise, écrit, Adrien apprécie, gomme, rature, met en garde ; ce sont bien les deux potentialités d'un même personnage (p. 103), à l'image de Pélamanli du conte, « être assez généreux pour porter deux cœurs dans son seul corps » (*L'Isolé Soleil*, p. 217).

D'Adrien ou de Marie-Gabriel, le choix du sujet autobio-graphique devient, fréquemment, indiscernable, et même au-delà de ces deux personnages. Le « je » se trouve au centre d'un étoilement identitaire composé de chaque individu qui accepte « la douleur du dévoilement et le plaisir de l'écriture » avec pour

---

6.   H. Cixous, *Prénoms de personne*, Le Seuil, coll. « Poétique », 1974, p. 6. Les écrits de cette écrivaine ont accompagné l'entrée en écriture de Daniel Maximin.

7.   Il y a beaucoup à dire sur la gémellité sur laquelle nous reviendrons à diffé-rentes reprises dans notre analyse.

viatique « la seule carte de la géographie de son corps » pour aller
à « la rencontre des Antilles » en sachant qu'il faudra faire resurgir
« à la fois une magnifique et terrible cage à peindre et l'oiseau des
îles à délivrer » (*Soufrières*, p. 22)[8].

Adrien s'efface et l'individu privilégié, dans cette tension
d'avenir, est la femme, « elle » : Adrien devient Marie-Gabriel.
Car la femme est celle qui permet à l'Antillais isolé de retrouver la
maîtrise de ses paysages, de sa géographie : Elles ? Marie-Gabriel,
« abri d'aile », « l'arbre-amie », les îles, les femmes, les mères, les
ailes ; l'île, symbole de l'isolement, a besoin d'elle, de l'a-île de
l'amie pour dépasser l'isolement. Car « l'alphabet de mes amours
commence aussi par a » (*L'Isolé Soleil*, p. 276[9]). Ce « a » rend
indécidable le nom de l'élu : Adrien ou Antoine.

La chaîne de transmission féminine intègre dans son élan de
convivialité et de solidarité les hommes-colibris. On peut comprendre alors le relais des narrateurs du *Cahier de Jonathan*, de cet
ancêtre esclave marron à Louise et à Marie-Gabriel, maître
d'œuvre d'aujourd'hui. De son ouverture à sa clôture, *L'Isolé
Soleil* progresse par cette passation de paroles jusqu'à celle qui, en
fin de parcours, est signée « Daniel ». Ainsi l'auteur participe à sa
fiction comme les personnages qu'il crée ou qu'il réveille dans
l'Histoire. Sa signature démasque l'illusion de réel que pouvaient
introduire les références historiques et souligne la nécessité de
l'imagination.

Nous lisons une véritable construction polyphonique qui prend
sa source dans le présent avec Marie-Gabriel et Adrien, doublés
par Antoine et Ève et remonte, par strates successives, du passé
proche – Siméa et Louis-Gabriel, Toussaint, le grand père Gabriel,
l'autre Siméa – au passé plus lointain, Miss Béa et toute sa
descendance.

---

8.   L'oiseau à délivrer désigne, sans doute possible, le colibri et le conte,
      Colibri trois fois bel cœur. Dans cette citation, c'est Antoine qui ré-
      fléchit au projet de création de Marie-Gabriel. Ce pourrait être Adrien :
      interchangeabilité des rôles !
9.   *Cf.* dans H. Cixous, *Préparatifs de noces au-delà de l'abîme*, éd. des
      Femmes, 1978, p. 156 : le prénom de la femme aimée commence par A
      mais ne peut se dire, « à cause du nom encore ignoré de l'Amour ».

Dans cette polyphonie, les voix n'ont pas la même intensité mais nourrissent la voix familiale, la voix de l'Histoire officielle, la voix de l'Histoire dissidente et son riche cortège d'oralité. L'auteur est voix participante et non source unique de l'énonciation : « Cependant, par précaution, TU n'écriras jamais JE. Quand on a déraciné l'amour, il n'y a plus rien que TU, VOUS et ILS à déclarer », nous dit le texte, dès les premières pages (*L'Isolé Soleil*, p. 18).

Soufrières

Les quatre premières pages de ce second roman sont un envoi : elles emprisonnent le moment clef de la diégèse, l'explosion la plus forte de la Soufrière, le 15 août 1976 et donnent ainsi l'axe central de la narration. Un « tu » s'impose, induisant le « je » narratif, mode d'énonciation déjà privilégié dans le premier roman. La voix narrative s'adresse à Marie-Gabriel à la deuxième personne : dédoublement (le « je » se parlant à lui-même peut être Adrien ou Marie-Gabriel ; il est aussi la Soufrière...) ou mise à distance. Ce « tu » exhorte Marie-Gabriel à accepter la nature volcanique de l'île :

> « Au milieu de l'allée qui tremble devant l'horizon qui brûle, tout ton cœur se débat pour rester dans ton corps, fille d'un pareil feu et d'une pareille terre, qui n'ont que faire de ceux de leurs fils qui confondent avenir et futur simple, et se refusent à voir qu'à cause de ce défi demain ici ne pourra être que fabuleux. » (p. 11.)

Cette voix l'exhorte aussi à continuer à écrire : « Ton cahier s'entrouvre... » (p. 12.)

Dans la partie suivante – première partie du roman, « Défilé antillais. Mai » –, [Notons que tous les titres sont des noms de tableaux de Wifredo Lam] le « tu » disparaît laissant place à une narration plus classique : celle d'une voix omnisciente qui survole tous les acteurs de la fiction pour nous aider à renouer avec eux lorsqu'ils viennent de *L'Isolé Soleil,* ou à les découvrir lorsqu'ils sont nouveaux venus sur la scène du roman. La focalisation se déplace, d'un personnage à l'autre, choisit l'extériorité ou, au contraire, sonde ses pensées les plus secrètes, établissant ainsi des complicités. Nous pourrions parler d'une sorte de récit-reportage où « ils » sont les acteurs d'une mise en scène autour de la Soufrière, « la danse de la femme-volcan » étant alors une mise en abyme du roman.

De façon classique aussi, d'assez nombreux dialogues animent ces mini-tableaux et des analepses informent le lecteur sur l'antériorité des personnages : ceux qui nous sont familiers ainsi qu'Inès, Rosan et Gerty, Toussaint et Ariel par exemple.

Avec la seconde partie, – « La jungle. 16 juin » –, les seules ruptures de la narration classique sont des lettres dans lesquelles le dialogue « je / tu » est sans surprise. Narration d'un récit classique : elle suit chronologiquement l'évolution des personnages, de Paris à la Guadeloupe, puis dans des lieux de l'île visités précédemment.

La troisième partie, – « Quand je ne dors pas, je rêve. 8 juillet. Cahier d'Adrien » –, revient au pronom autobiographique privilégié par Maximin, le « tu », « je » masqué. Ici, les faits, les circonstances et les confidences livrées ne permettent plus l'interchangeabilité de l'énonciateur. Adrien s'autonomise, se particularise par rapport à Marie-Gabriel. Cette tendance s'accentue jusqu'à la scène d'amour finale où la fusion amoureuse ne peut advenir que parce qu'elle a été précédée d'une distinction des deux personnages « siamois » de *L'Isolé Soleil.*

Ces quelques pages exposent tout ce qui nourrit l'écriture en profondeur : musiques et théâtre, lieux réels et symboliques – par exemple, la Soufrière répond, dans la pièce, à l'explosion du Matouba et, dans le référent, à l'explosion phréatique du 7 juillet – qui ne sont pas décors mais acteurs : « La Soufrière n'est pas un décor de roman » (p. 125) ; relations complexes d'Adrien aux femmes ; expression lyrique de l'appartenance à un peuple.

Le retour du « tu » dans *Le Cahier d'Adrien* prépare la quatrième partie, tout à fait centrale, intitulée, – « la rumeur de la terre. 8 juillet ». Même date que *Le Cahier d'Adrien,* avec la Soufrière personnifiée : Marie-Gabriel s'efface quelque peu derrière un « elle » d'observation et d'accompagnement, laissant le premier rôle, dans l'implication narrative, au volcan et à Adrien. Toute la partie est énoncée par la Soufrière, voix du volcan en même temps que voix de la terre et de l'île. Elle annonce son éruption ; elle la met en mots avant de l'imposer dans le réel. Elle est l'imprévisible qui échappe aux emprisonnements :

> « À coups de phrases primitives et de mots copeaux échappés aux langues établies, j'aspire aujourd'hui à retourner mon pays natal. Je suis une bouche de chair en feu, mais je ne maîtrise aucune langue de dévoilement. [...] Et ma parole est terre. »

Énonciation majeure et position centrale dans le roman : seuls entendront et accepteront ce « je », ceux qui accompagnent ses surgissements et ses mouvements. Accepter et comprendre : non pas se résigner mais intégrer dans son vécu la géographie de l'île et s'y adapter. Céder la parole à la Soufrière, après l'avoir donnée en ouverture à Marie-Gabriel – et un peu plus loin, à Adrien –, c'est l'imposer au lecteur comme force constructive et non monstre de destruction. Ce traitement personnifié de l'éruption et le rôle d'observateur-acteur des habitants-fourmis – ils vont et viennent sous nos yeux –, fait du cataclysme un constituant de l'insularité. Il est assimilé au bouleversement de l'écriture qui part à la recherche, en chacun de nous, de la soufrière en attente d'explosion. Dans cette perspective, on comprend mieux alors que l'éruption de vie qu'est l'accouchement de Gerty soit racontée par la Soufrière. Événement bénéfique, la naissance de la petite Siméa recouvre de cendres, sans l'effacer, le cyclone de l'avortement de l'autre Siméa en 1943.

La Soufrière énonce sa parole en un langage lyrique, métaphorique et scientifique – comme Adrien – avec des haltes temporelles, autre manière d'indiquer aux humains les signes avant-coureurs de la réouverture « sous la pression des laves » d'une « blessure de vingt ans ou de vingt mille ans ! » (p. 138).

Par son explosion, la Soufrière manifeste une souffrance et non un désir de mort : « Je suis moi-même la gardienne des rêves et des réveils de chaque enfant de notre île. » Elle a besoin d'aide et non d'accusation :

« Les sismographes et les chiens attendent le réveil de leurs maîtres pour m'accuser de l'incendie alors même que m'étouffe le poids des cendres mortes et d'un lac d'eau tiède répandu en plein ventre. Il faudrait une pyramide de béton et je n'ai que mon épaule de terre contre les coups de dents et de langue chaude qui torturent ma bouche ouverte. » (p. 138.)

En nous rendant complice du volcan par cette personnification, le romancier tente de transformer la relation de l'homme à la nature tropicale : « Je ne suis pas l'enfer. J'attends le premier soleil pour saler ma chaudière et me laisser couler le long de mes fractures, loin des chemins de fuite pour le salut des humains. » (p. 139.)

Changer le rapport de l'homme à la nature tropicale ? Oui, c'est tout à fait cela ! On a trop séparé les deux choses... l'histoire et la géographie. L'histoire était un enfer et la géographie, un paradis ! La géographie serait une sorte de compensation à la douleur, la misère au soleil est plus supportable ! ... Or cette distinction sépare l'homme de la nature. Pour moi, la nature est un constituant du roman, pas un décor mais un personnage. elle est l'héroïne de mes romans. Partir et revenir au vivant : un dosage de douleurs, de blessures et de jouissances dont le personnage nature est le modèle emblématique le plus parfait. Car ce n'est pas parce qu'il y a blessure qu'on ne va pas continuer à tout faire pour essayer de vivre. Il y a aussi une ambivalence qui fait qu'on n'a pas à choisir et à décider que le volcan est mauvais ou qu'il aurait mieux valu qu'il ne soit pas là sous prétexte qu'il tue et qu'il détruit, alors qu'aussi il est la cause première du surgissement de l'île et de sa fertilité... C'est l'éruption au-dessus de la mer qui a permis la naissance de l'île ! Il n'y aurait pas de Guadeloupe s'il n'y avait pas la Soufrière. C'est la même chose pour les cyclones. Ils ne font pas que de la destruction. Ainsi le cyclone abat les mauvais arbres, fait des coupes claires qui permettent de régénérer les forêts. Le vivant est constitué par un cycle de passages de douleur et de blessure et toujours la permanence de la résistance à ces maux.

L'idée de cycle est, en conséquence, le modèle de civilisation pour les Antilles. Il n'y en a pas d'autre dans la nudité originelle de ces gens venus de terres, de religions, d'explications du monde différents : l'élémentaire modèle de la nature s'est imposé tout de suite et... c'est peut-être là que réside la forme culturelle commune de toute la Caraïbe ! L'âme caribéenne a été forgée par le lieu et l'enracinement. Quelque chose d'extraordinaire s'est produit : la mère nature a accueilli des enfants orphelins déportés. Ce n'est pas seulement un problème historique de victoire sur l'esclavage. Cette interaction rejoint aussi l'ordre du vivant auquel se mesure tout être humain.

Dans cet esprit, une phrase de Camus a toujours marqué ma réflexion : « *La misère m'empêcha de croire que tout est bien sous le soleil et dans l'histoire. Le soleil m'apprit que l'histoire n'est pas tout.* »

La cinquième partie, – « Apostroph'apocalypse. 16 août » –, revient au récit à focalisations multiples. En passant d'un personnage à l'autre, la voix narrative nous prémunit contre la monotonie, déléguant sa parole à l'un ou l'autre dans les dialogues et continuant à insérer des lettres comme celle d'Ariel à Marie-Gabriel ou celle d'Adrienne Roussy au père Jourdain.

Quelques pages du *Cahier d'Adrien* pendant le vol vers la Guadeloupe nous ramènent au « tu » du dédoublement narratif qui nous est, désormais, familier et poursuivent le débat engagé, depuis les premières pages de *L'Isolé Soleil*, sur la nécessité de l'écriture.

La dernière et sixième partie enfin, introduit un « je » tout à fait inhabituel : le manuscrit lui-même de *L'Isolé Soleil* qui, abandonné momentanément par Marie-Gabriel, décide de « dire la prophétie » : « Marie-Gabriel [...] j'ai encore à relier tes pages dispersées tel un lot de clés sauvages échappées à la cohérence du trousseau. » (p. 243.) Il décide aussi de raconter cette dernière journée où il peut, grâce à « la liberté spacieuse des maisons vides » suivre chaque personnage et suspendre son élan d'être de papier, dans cette finale d'amour du roman.

De *Soufrières*, Jack Corzani écrit, à juste titre, que c'est

> « une sorte de méditation lyrique collective dans laquelle se
> fondent les individualités et s'harmonisent leurs paroles [...] tous
> se retrouvent plus qu'ils ne se perdent dans une même parole
> poétique indifférenciée »[10].

Cette remarque, juste quant à l'atmosphère créée dans le
roman, ne rend pas compte de la manière dont la narration
construit ce collectif en enrichissant la double voix narrative de
L'Isolé Soleil, je / tu, Marie-Gabriel et Adrien, de deux autres
« je » essentiels : la Soufrière et le manuscrit de *L'Isolé Soleil*,
volcan et écriture indissolublement liés.

Ces quatre « je » forment déjà un « nous » puisqu'ils échangent
des signes et des symboles. Ils renforcent ce « nous » de toutes les
« elles » et « ils » suivis, écoutés, en un microcosme social de la
convivialité et de la solidarité. C'est cela qu'exprime le texte quand
il revient avec insistance sur le « NOUS ». Ainsi, la dernière phrase
du *Cahier d'Adrien* de *Soufrières* dit l'intégration au collectif, au
moment justement où Adrien va toucher le sol natal :

> « ... et l'avion se posera en douceur sur ta terre ferme,
> fidèlement natale.
> Et le TU sera mêlé enfin à la géographie du NOUS. » (*En vol*,
> pp. 192-197.)

La question que se pose l'écrivain est celle de son
attachement / détachement par rapport aux personnages qu'il
a créés. Au début, on se demande comment s'y attacher,
comment donner vie, comment dialoguer avec eux. Avec
L'Isolé Soleil, *je voulais arriver à créer ces personnes qui*
existent, que ce ne soit pas seulement des inventions littéraires,
qu'ils aient une telle chair qu'ils ne puissent pas être con-
fondus avec moi [encore la question du seuil autobio-

---

10.   J. Corzani, présentation du roman dans le *Dictionnaire encyclopédique des*
       Antilles et de la Guyane, Éd. Désormeaux, 1992, Fort-de-France, pp. 2173-
       2174.

graphique !...], qu'ils soient suffisamment eux-mêmes pour qu'ils ne soient pas des marionnettes. Et cette obsession en moi vient du fait qu'on a trop souvent considéré ces peuples comme des marionnettes aliénées par une histoire dont d'autres auraient toujours maîtrisé les fils. Toute solitude s'enracine dans une généalogie. Ensuite l'existence de Marie-Gabriel et de ses amis était telle dans la réalité des débats qui ont suivi le roman [il y avait beaucoup de gens en Guadeloupe qui se reconnaissaient dans tel caractère ou tel épisode, toujours le débat autour de l'histoire vraie, du témoignage...] qu'il était nécessaire de redémêler personnes et personnages dans le prochain roman dont le sujet s'est alors imposé par la richesse des dialogues autour du premier... Dans Soufrières, *les autres prennent de l'importance montrant ainsi que Marie-Gabriel est vivante. Chacun a son histoire en soi mêlée aux autres. Toutes ces rencontres fabriquent du nous, fabriquent du métissage, fabriquent du collectif.*

Avec L'Île *et une nuit, c'était, a priori, un problème romanesque et d'écriture : arrêter cette histoire ! Fermer pour passer à autre chose. faire mourir Marie-Gabriel ! Je n'avais pas envie de tricher. Il fallait la laisser partir faire sa propre vie dans la tête du lecteur bien entendu et dans la mienne, lui donner suffisamment de chair dans une épreuve... Ainsi l'écriture conduit au sujet ! Il fallait quelque chose de très fort qui soit la solitude... où tout revient : le passé, les autres, la musique. Me laissant comme au départ de la trilogie de nouveau seul avec moi-même pour proposer un nouveau départ, une réinvention de l'auteur et de ses fictions.*

L'Île et une nuit

Nulle surprise alors mais continuité de la première personne du singulier à celle du pluriel, avec *L'Île et une nuit*, dont la première et la dernière heures sont au « NOUS » :

« Sept heures d'une solitude très entourée d'ouragan acharné à la briser, face aux sept chants de signes pour espérer demain.

AVEC NOUS, en absences imaginées présentes
AVEC VOUS, en présences relues
AVEC TOI, en appel bouche à oreille bouchée
AVEC LUI, l'œil du cyclone ouvert par la pleine lune
AVEC ELLE, parole de toutes ses musiques
AVEC MOI, l'origine et la fin
en faim de ne pas finir : PARMI NOUS[11]. »

Le « nous » de la première heure tire sa force de la lecture des deux romans précédents. Sans cette antériorité, la lecture hésite entre un « nous », voix des Flamboyants, cette habitation qui a accueilli tous les acteurs de la fiction à un moment ou à un autre de leur vie, un « nous », voix de Marie-Gabriel qui masquerait son « je » pour supporter la solitude ce soir de cyclone ou un « nous » désignant les voix d'Élisa, de Gerty, de Rosan, de Siméa, de Marie-Gabriel, personnages nommés dans ces pages. Informés par la lecture antérieure, nous entendons dans ce « nous », tous les personnages convoqués en pensée par Marie-Gabriel solitaire, « les absences imaginées présentes » pour « rejouer à la famille nombreuse » (p. 13).

Le « vous » de la deuxième heure désigne la voix des livres, ceux qui viennent réconforter ou instruire la jeune femme en cette nuit de bouleversement.

Le « tu » de la troisième heure s'adresse sans doute possible à Adrien : les deux sujets « autobiographiques » sont désormais nettement différenciés et annoncent la septième heure sur laquelle nous allons revenir. Le « je » de Marie-Gabriel est un « je » d'amante qui s'affirme dans son désir et dans sa frustration : elle demande à Adrien de revenir, elle lui dit son amour, ce qui n'a jamais été dit dans les pages précédentes : « car en cette nuit essentielle, il me faut dire que je t'aime » (p. 56).

---

11.   Première page du manuscrit de L'Île et une nuit, supprimée dans l'édition au Seuil.

À la fin de la troisième heure, le « tu » revient à son emploi habituel dans la trilogie : c'est Marie-Gabriel s'adressant à elle-même (p. 66).

La narration de la quatrième heure est une narration à narrateur extérieur et omniscient qui observe les deux acteurs du drame : Marie-Gabriel et le cyclone personnifié par son œil. On nous décrit les pensées et les gestes de la jeune femme, le regard et les limites du cyclone.

La cinquième heure donne voix à la musique qui s'exprime à la première personne et fait ce qu'elle peut pour soutenir Marie-Gabriel et l'obliger à réagir. Un « je » qui est une force consti-tutive, comme la Soufrière et le manuscrit dans le second roman. Il est remarquable qu'en tenant un discours de conviction, la musique redonne les prénoms de tous les amis peu cités depuis le début de ce roman, preuve d'un « je » qui entraîne le « nous », « le défilé à travers moi de tes cœurs d'élection » (p. 119).

La sixième heure est l'heure magique de l'immersion dans les eaux de l'origine en un patchwork des imaginaires ancestraux collectifs et des imaginaires individuels d'écrivains qui ont affronté le même cataclysme. C'est la voix du conte-matrice : Marie-Gabriel doit s'extraire de la mort dans la violence, mort de la mère à l'accouchement et sa propre mort que recherche le cyclone.

La septième heure est celle du retour au « nous » avec ses possibilités et ses limites :

> « Nous : pronom aveugle impersonnel, parmi nous : Toi et nous. Elle et moi. Toi et lui et moi. Toi et nous deux encore. Nous sans vous. Nous sans toi. Toi sans nous ?...
>
> Pour l'heure, pour notre septième heure, nous : c'est toi et moi. À la fin, ce sera toi ou moi. »

La voix narrative se sépare du personnage qu'elle a créé :

> « Je vais te quitter. Tu vas me laisser te quitter. Je vais te laisser me laisser te quitter. Et Vous, vous allez nous laisser la laisser me quitter. Pour ne plus rien savoir de l'un, ne plus rien savoir de l'autre. Comme d'autres, par névralgie de souvenirs : nous ne savons plus rien de l'un plus rien de l'autre, si ce n'est ce

grand désir que nous avons de ne plus rien savoir de l'un de l'autre. Tout délier, tout dénouer. Pour toi et moi[12]. »

Double fin : d'abord la fin de l'enjeu de l'écriture qui se dénoue dans cette volonté de séparation. À ce niveau de création et de lecture, Marie-Gabriel disparaît comme disparaissent les Flamboyants, espace de l'écriture : « Des Flamboyants rasés, il ne restera que la dalle, une marelle géante au tracé des pièces disparues, offertes aux lavalasses des quatre horizons » (p. 153) ; comme disparaît enfin le colibri, symbole de l'écriture de survie et de résistance parce que l'écriture a été jusqu'à son accomplissement : « l'invitation au voyage de sortie de son enfer » (p. 171).

La seconde fin, ensuite, aux dernières pages, clôt le destin romanesque d'un personnage de fiction : l'héroïne est sauvée. Marie-Gabriel, héroïne romanesque s'éveille dans la voiture le cyclone passé ; Marie-Gabriel, voix narrative, a terminé sa course.

Ainsi, de façon plus évidente dans les deux premiers romans mais en partie aussi dans le troisième, le texte a multiplié les récits de vie en les tressant les uns aux autres pour échapper à l'exemplarité trompeuse d'un récit de vie unique. Nous constatons, à travers cette ronde des pronoms personnels et des interlocuteurs de la communication que, tout au long de ces vingt années, ces personnages que nous avons appris à connaître, ont été les vecteurs d'une autre compréhension du monde insulaire, des dédales de l'écriture, du rapport du féminin au masculin.

Ne pourrait-on pas alors parler plutôt que de « pacte autobiographique » entre un auteur-narrateur et son lecteur, de « pacte polyphonique » dans lequel le lecteur lui-même doit s'inclure : « tout comme l'énergie des résistances et des envols sous le masque fragile et délicat du colibri trois fois bel cœur » (*L'Île et une nuit*, p. 172) et donc de poly-biographie, plutôt que d'autobiographie ? Dans les quatre vérités du *Cahier d'écritures* d'Adrien, on lit :

---

12.   Jeu ici avec le poème de Damas que nous étudierons ultérieurement.

« C'est vrai que le mensonge, dans le langage et dans l'histoire, peut donner des fleurs, mais jamais de fruits. [...] C'est vrai que tu as peur de raconter notre histoire
C'est vrai que tu as peur de notre histoire. »
(*L'Isolé Soleil*, p. 112.)

Or, dès son ouverture, le roman s'est fixé comme projet d'écriture de donner à lire « une histoire d'archipel, attentive à nos quatre races, nos sept langues et nos douzaines de sang » dans des « cahiers-mémoire d'un peuple qui traversent tous les cyclones protégés par des mains de femmes-sorcières, de femmes-enfants », complète Ève, dans une de ses lettres (p. 287).

Écriture de l'Histoire dans un regard-miroir : nous avons vu, précédemment, que Marie-Gabriel et Adrien forment les parties contraires et complémentaires de l'être en quête de création ; regard-miroir où tout converge : les histoires « vraies » et les histoires imaginées, les paroles inédites et les paroles empruntées, l'information officielle et l'information clandestine, l'oralité et l'écriture. L'autobiographie ne peut trouver sa voix (voie) que dans ce creuset polyphonique et poly-biographique.

Chaque étape de la trilogie marque une libération de la « saga des héros » pour exprimer l'individu dans sa complexité : « oser être sujet, avec ses blessures, sa spécificité par rapport à la communauté, ses amours, ses angoisses »[13]. Pour « oser être sujet », la première personne est aussi attribuée aux forces essentielles : le volcan, l'écriture et la musique.

Car, pour retrouver le chemin de l'île (d'il), il faut observer, privilégier la relation à la création et au pays. Dans *Les Antilles à l'œil nu*, Maximin rappelle que sa première lettre d'amour et son premier poème – que le lecteur trouvera en annexe –, fut pour la Soufrière :

« J'irai au sein de la Soufrière comme ces pierres lancées au fond de la gueule des Trois-Chaudières.
    Et, comme elles, je ne pourrai jamais toucher le fond, j'éclaterai en soleils éphémères, plus beaux que les étoiles

---

13.   *In* Entretien, *cf.* note 14.

patientes, aux portes du centre de la vie, là où la mer rejoint. J'irai
à la recherche des présences enfouies sous les cendres de Delgrès.
Et quand j'aurai rempli mes poches de lave et de sel et d'une
bouteille d'eau fraîche, je m'élancerai libre sur ma Karukéra
élargie aux dimensions du monde. Admirant le soleil qui la caresse
de loin sans l'écraser... » (p. 182.)

L'identité se construit et s'enracine dans l'insularité. Celle-ci
n'est pas enfermement mais point d'ancrage, autorisant le voyage
vers d'autres ailleurs : « C'est ici ton combat. Tu ne partiras pas. »
(*L'Île et une nuit*, p. 46.)[14] Le dernier volet de la trilogie est bien
accomplissement : une femme affronte le cyclone et en triomphe
par sa résistance de chaque instant : « vivre la catastrophe jusqu'à
la satiété de sa violence, brasser rêves et cauchemars sans dormir,
pour avoir une chance d'arriver jusqu'à sa fin » *(*p. 11). Marie-
Gabriel accomplit tout le parcours jusqu'à une nouvelle naissance :
« Elle ferma les yeux pour mieux sentir entrer en elle l'invitation
au voyage de sortie de son enfer. » (p. 171.) Et toujours, dans le
sens de ce discours autobiographique qui ne peut avancer que dans
une parole collective : « Chacun sa page s'il le faut, mais dans le
même cahier. » (p. 13.) On est entré dans une littérature véritablement.

*Oui, cette littérature existe puisque des romans s'écrivent.
Un livre est un arbre. S'il tient, c'est qu'il existe. S'il existe,
c'est que ce dont il parle existe. S'il était simple projection
utopique, il n'existerait pas. Il ne tiendrait pas comme un
roman si c'était simplement un rêve d'Antilles qu'il racontait.
Encore faut-il s'entendre sur le terme d'utopie ! Si c'est une
utopie qui invente un monde à partir d'un réel et d'une*

---

14. Le « ici ou ailleurs » qui est atténué comme espace de conflit entre les
personnages, apparaît avec insistance dans le dialogue avec un partenaire
absent que Marie-Gabriel tient avec Adrien dans *L'Île et une nuit*, p. 53 :
« car il faudra que tu reviennes après le cyclone. Tu es bien revenu pour
l'éruption de la Soufrière. Je t'attendrai dès demain si un jour se relève après
cette nuit. »
p. 55 : « Tu verras, c'est une belle année. [...] Les fruits du cyclone
t'attendront. [...] Tu attendras pour revenir que la mer soit retirée de la
Pointe-des-Châteaux. »

image ? Mais moi, ce que je veux c'est montrer que les Antilles existent. Profondément enracinées dans un terreau d'histoire et de géographie aussi jeune que les vieux continents.

L'œuvre de Maximin est bien recherche d'une parole insulaire ouverte au monde pour l'être d'aujourd'hui et celui à venir. C'est ce qui explique qu'à la voix solitaire et narcissique, l'écrivain préfère le lyrisme collectif, le pluriel et l'hétérogénéité. Pour décoloniser le corps : opposer à la parole de l'Histoire, l'observation et la complicité avec la Nature sans renoncer à lutter. Je en rade, Je en dérive, Je en désir ... choisit de substituer à la figure emblématique du Rebelle, celle de l'oiseau à délivrer, de l'oiseau délivré / l'oiseau délivreur, le colibri[15].

---

15.   Voir ensuite notre chapitre sur « le mythe du Rebelle ».

2

Construction narrative

Récits et discours

« Ah ! tous ces Antillais ne sont véritablement que d'impénitents marmonneurs de mots ! » peut-on lire dans *L'Isolé Soleil* (p. 172). Cet auto-humour où Maximin excelle dirige notre analyse, selon les romans, vers cette jonglerie de mots, ces volcans lexicaux et cette écriture cyclonique ; la lecture ne peut être que dynamique et active car rien n'est jamais totalement donné et expliqué. Au fur et à mesure de notre avancée, de nouvelles informations surgissent, imposant des retours en arrière pour saisir plus et mieux : le lecteur est convié à une découverte constante car les significations se construisent progressivement.

L'Isolé Soleil

Donner un résumé du premier roman est donc délicat car il n'offre pas une intrigue classique mais un entrecroisement de voix qui tisse le sens d'un regard sur les Antilles d'aujourd'hui. Néanmoins, une ligne directrice peut être dégagée pour faire apparaître la construction narrative.

Le soir de ses dix-sept ans, Marie-Gabriel se blesse en tombant d'un arbre dans le jardin de la maison familiale, Les Flamboyants, au moment même où l'avion de son père s'écrase sur la Soufrière, le 22 juin 1962. Cette chute et cette mort – Louis-Gabriel revenait en Guadeloupe pour l'anniversaire de sa fille – l'incitent à tenter l'aventure de l'écriture dont la voie était déjà ouverte par Adrien, ami du lycée, vivant à Paris et avec lequel s'élabore un échange d'informations, de jugements sur l'écriture et sur l'héritage du passé, et de créations.

Refusant l'univocité d'un seul choix discursif, D. Maximin fait s'entrecroiser :

– *Cahiers d'écriture* d'hier et d'aujourd'hui – celui de Jonathan, nègre libre, mort en 1802, ancêtre de Marie-Gabriel qui a hérité de ce cahier ; celui d'Adrien, l'ami d'enfance parti à Paris de Paris – ;

– *Journaux* – Journal de Siméa, mère de Marie-Gabriel que son grand-père lui remet le jour de ses dix-sept ans ; journal de dissidence de Toussaint, ami de Siméa et de Louis-Gabriel, assassiné par les forces pétainistes installées dans l'île en 1943 ; fragments du journal d'Angela Davis – ;

– *Lettres* qu'échange le trio d'aujourd'hui – Marie-Gabriel, maître d'œuvre de cette nouvelle histoire caraïbe, et ses amis, Antoine et Adrien.

Entrecroisement de voix, chassé-croisé de discours et d'énonciateurs donnent à lire un roman foisonnant où la plupart des genres personnels sont utilisés : le journal, la correspondance, les mémoires, la confidence.

Nous venons de le voir précédemment, il n'y a pas univocité : les voix en texte sont nombreuses et produisent des écritures en dialogues, homogénéisées, pourrait-on dire par une même tension de désir qui « est à l'histoire ce que les ailes sont au moulin ». L'histoire est celle des protagonistes, Marie-Gabriel, Adrien et Antoine et de leur environnement, mais cette histoire ne peut se comprendre que si l'autre Histoire est en élaboration, « une histoire d'archipel, attentive à nos quatre races, nos sept langues et nos douzaines de sangs ». Ces engagements de l'incipit sont ceux-là même que prend l'écriture, une sorte de contrat de lecture. L'incipit peut alors encore affirmer, « les mots ne sont pas du vent » et donc... les Antillais ne sont pas seulement... « d'impénitents marmonneurs de mots » ! « Les mots sont des feuilles envolées au risque de leurs racines, vers les récoltes camouflées au fond du silence et de la mer. » Ainsi d'entrée de parole, on est convié à partager la conviction de la voix narrative : les mots peuvent faire resurgir le passé, construire le présent et rêver l'avenir. Le dernier fragment de texte, en fin du premier roman, signé Daniel, est à la fois un bilan et l'attente d'une suite. Il affirme le désir d'écrire encore l'histoire à peine entamée de ces îles avec l'apport des veillées, du jeu, de l'amour, de la faim, de la peur. Il n'y a, en ces pages 310-311, ni dénouement, ni clôture mais la conscience d'assumer son présent délivré des pères et de l'assimilation ; à l'image du couple – île et aile – ce qui est recherché est la solidarité et la fraternité, « désirades déployées », qui se reconnaissent dans la récupération des nominations. Au cœur du texte, au cœur de cette histoire antillaise, « le conte nous fait signe, colibri trois fois bel cœur » car il a tissé un réseau de significations essentielles puisqu'il ouvre et ferme le texte, se gravant sur des « feuilles » qui ont, nous le verrons, une position textuelle et citationnelle stratégique.

Dans le chapitre précédent, nous avons vu que le « je » de la voix narrative se dédoublait en un « je / tu » et se fondait dans le « nous » collectif. Dans cette trajectoire où une collectivité est prise en charge, le texte établit une hiérarchie de voix par un double procédé :
– le genre choisi et la typographie adoptée ;
– la situation historico-temporelle des protagonistes et leur appartenance à l'univers de la fiction ou à celui de la référence historique.

Échange de lettres et italiques pour le couple au sommet de cette pyramide polyphonique : Adrien et Marie-Gabriel. Antoine et Ève viennent compléter cette réflexion sur l'écriture et l'histoire – Adrien est à Paris, comme Ève qui a quitté l'Algérie en 1962 ; Antoine et Marie-Gabriel sont en Guadeloupe –. Les lettres de ces quatre personnages mettent à distance le projet en élaboration, le commentent, obligent à l'exercice de l'esprit critique : elles rompent une cohérence clôturante qui ne peut être que trompeuse. C'est parce qu'Adrien juge dangereuse cette plongée dans le passé qu'il pousse Marie-Gabriel à adopter une écriture de la parodie et du questionnement. Marie-Gabriel se défend de l'accusation de nostalgie :

> « Vous avez tort de penser que je m'applique à un camouflage de la mort de Louis-Gabriel en promenant mon imagination dans nos cimetières. J'écris au contraire pour lui survivre, et même repliée sur moi-même j'aspire par l'écriture à créer du désir. »

À partir de ces quatre protagonistes, interviennent les autres personnages. Au point initial, Miss Béa qui transmet et construit la mémoire. Ses quatre enfants entrent en scène, Angela, les jumeaux Georges et Jonathan, et la plus jeune, Ti-Carole. La descendance proprement dite de Miss Béa est assurée par Ti-Carole qui, comme sa mère, a des jumeaux, Louis et Ignace. Celui-ci a, à son tour, une fille Louise ; celle-ci, comme ses aïeules, a des jumeaux dont l'un, Louis-Gabriel est le père de notre Marie-Gabriel, maître d'œuvre du livre en train de s'écrire.

Cette œuvre, elle a pu l'entamer sur la base d'un document, hérité de son aïeul, *Le Cahier de Jonathan* où elle trouve références populaires et expériences de marronnage et de dissidence. C'est son ami et correspondant Adrien qui, dans son *Cahier d'écriture*, inscrit l'ascendance maternelle, beaucoup moins foisonnante, sans doute parce qu'elle se déploie du côté de la petite bourgeoisie assimilée ; également parce qu'avec son amie, ils ont des mères qui portent le même prénom, Siméa.

Une astuce de la narration permet de confondre l'ascendance paternelle et l'ascendance maternelle : le grand-père maternel s'appelle Gabriel comme le père et ils sont tous deux musiciens. Nous reviendrons sur cette importance de la nomination.

L'ensemble de cette construction généalogique peut être schématisée dans un « arbre » particulier puisque « l'origine » est partagée par l'esclave, Miss Béa et le Maître, Jean-Baptiste Alliot, l'un déterminant la descendance et l'autre offrant l'espace, l'habitation des Flamboyants que grand-père Gabriel rachètera et qui est l'espace de prédilection de toute la trilogie.

D'autres personnages participent à cette construction de l'identité caraïbe en un jeu d'échos des personnages dans un mouvement de dédoublement et de gémellité : l'Angela, morte à sept ans en 1785 est réveillée en texte par la petite Angela que Siméa soigne à l'asile en 1943 et trouve toute sa symbolique dans la rencontre entre Marie-Gabriel et Angela Davis. C'est en fin de texte aussi que s'éclaire la symbolique des noms des jumeaux, « J. et G. pour la fraternité » : Jonathan et Georges, morts le 28 mai 1802 dans l'explosion voulue par Delgrès au Matouba, sont les échos antérieurs des frères de Soledad. « L'arbre » que nous présentons permet de clarifier cette intrication des personnages aux différentes étapes temporelles, les legs symboliques qu'ils reçoivent et transmettent (la musique, le leitmotiv de la feuille du bois-canon, le bracelet à proverbes, la bague et le cahier de mémoire), les relations qu'ils entretiennent les uns avec les autres. Sont notées également les dates de mort, toujours données et celles des naissances qu'il suffisait de déduire des indices textuels.

Les principaux protagonistes représentés dans ce schéma ne sont pas « voix du texte » au même titre : il y a un relais de parole exemplaire, en particulier dans *le Cahier de Jonathan*, blason de l'architecture du roman dans son ensemble par la pyramide polyphonique, la prééminence donnée aux femmes et le choix du *Cahier*... Ce n'est qu'à la fin de sa lecture que l'on peut repérer qui parle à qui. Cette lecture en roue libre, en quelque sorte, participe bien de la dynamique de lecture dont nous parlions au début de ce chapitre.

Le genre privilégié est celui du cahier. Deux prédécesseurs ont pu influencer ce choix : Aimé Césaire, bien sûr et son *Cahier d'un retour au pays natal*... « j'ai pris un titre extrêmement neutre : cahier. Il est devenu, en réalité, un poème » a-t-il déclaré ; et Hélène Cixous, dont on peut lire dans *Préparatifs de noces au-delà de l'abîme*, un passage cité dans *L'Île et une nuit* (p. 48) :

> « Plus tard dans cette nuit, un cahier d'écriture serré pourra s'ouvrir devant vous, vous entraîner là où vous ne savez pas encore que vous voulez aller. Une page pourra agir sur l'absence et le silence. »

Tout au long de *Soufrières*, un cahier est présent contenant le manuscrit de *L'Isolé Soleil* et prenant même la parole.

HIER

I - Du côté du marronnage et de la résistance clandestine
« seule expérience de liberté conquise par la fraternité » (p. 45)

MISS BÉA
de la Désirade aux Flamboyants
l'esclave
✝ 1843

ANGELA	GEORGES	JONATHAN	TI-CAROLE
1778-1785	1767-28 mai 1802		1797-1897

bague   musique   bracelet à proverbes
           nègre libre nègre marron   Ignace   Louis
                        cahier   musiciens
                                              LOUISE
                                              1890-1928

Jean-Louis   **LOUIS-GABRIEL**
1917-1928   1917-22/06/1962
             musiciens

Les frères de Soledad J. et G.

MARIE-GABRIEL...

II - Du côté de la petite bourgeoisie
« À nous de nous inventer un avenir, sans trop attendre du passé africain, et du présent d'Europe (...) notre action sans complexes d'infériorité ou de supériorité nous fera vivre notre identité » (p. 212)

JEAN-BAPTISTE ALLIOT
Le maître « éclairé »
de la Désirade à l'installation aux Flamboyants
✝ 1802
ÉLISA
sa fille, ✝ 1785, à 17 ans
Les Flamboyants, maison du grand-père GABRIEL,
« un vivant rêve d'histoire »
SIMÉA
✝ le 21-06-1945
Journal et bague d'Angela dans le manguier

... MARIE-GABRIEL

AUJOURD'HUI

MARIE-GABRIEL
fille de Louis-Gabriel et de Siméa
écrivain - amie
de
ADRIEN   ANTOINE
poète   et   musicien

Le cahier, c'est aussi ce qui rappelle l'apprentissage de l'écriture ; c'est aussi ces publications périodiques « rédigées, dit le dictionnaire, par un groupe d'intellectuels qui exposent leurs vues particulières sur tel ou tel sujet ». C'est bien, en partie, ce que fait Maximin, en convoquant en texte, de nombreuses autres voix dont il ne serait que le canal de transmission.

Revenons au *Cahier de Jonathan* : on peut donc supposer que le narrateur est Jonathan. S'il raconte le bagne de la Désirade, c'est qu'il a recueilli des informations auprès de Miss Béa, sa mère et du Maître qui lui a donné de l'instruction. Toutefois, les marques de l'énonciation ne sont jamais assez nettes pour le désigner sans ambiguïté comme narrateur. Son *Cahier* apparaît donc déjà comme réceptacle de mémoire dans lequel tout ce qui concerne une nouvelle histoire s'engrange. Il intègre dans le roman familial, des voix historiques et des voix dissidentes et délègue son pouvoir de parole à de multiples énonciateurs : en citant la lettre de Georges (texte essentiel sur lequel Marie-Gabriel insiste), il le fait parler alors que le langage de prédilection de Georges est la musique, lui, l'inventeur d'une meringue haïtienne. Il intègre aussi les proverbes, les rites africains, les chants de Miss Béa et donne alors la parole à la tradition populaire.

Pourtant, après sa mort, ce cahier qui porte son nom, ne s'interrompt pas. Un « tu » surgit (p. 65) qui semble bien désigner Ti-Carole, sa petite sœur :

> « Maintenant tu écouteras les paroles de ce cahier avec l'attention des oreilles d'un chat, et tu en confieras le souvenir à ton ventre, à ton cœur et à tes yeux, hors d'atteinte de l'oubli des lèvres encageuses de nos secrets.
>
> Et ces paroles seront pour t'apprendre à vivre, c'est-à-dire à avoir faim, à avoir peur et à aimer.
>
> Écoute bien ce qui est passé. Ensuite tu mettras demain sur ta tête. »

Ti-Carole n'a alors que cinq ans ; c'est donc Miss Béa qui a dû poursuivre la tradition d'écriture : en possession du *Cahier*, elle continue à l'enrichir de l'histoire du marronnage et de la répression des Blancs (p. 68). Au moment où l'on croit saisir le « je » – Miss Béa, il s'élargit en un « nous » – les nègres :

> « C'est alors que survint le premier cyclone qui ravagea leur orgueil et leurs propriétés (aux Blancs) et conduisit de toute sa force des centaines d'entre nous à la terre de Guinée. » (p. 70.)

Miss Béa meurt et le *Cahier* continue :

> « Sache que Ti-Carole avait conservé ces instructions avec d'autres dans *Le Cahier de Jonathan* où elle continua de rassembler ce qui pouvait éclairer les esclaves sur la duplicité de leurs maîtres. » (p. 72.)

Brouillant les voix ou les confondant – au moment où le lecteur va être informé de l'énonciateur de cette leçon d'histoire – une phrase de la lettre de Georges est reprise intégralement, celle sur l'aspiration à la liberté, à l'image du combat de Colibri et du crapaud tambourineur. Et cinq pages plus loin, au moment où l'on saisit le « je », Ti-Carole centenaire qui parle à Ti-Louise sa petite fille, âgée de sept ans, elle meurt... « On » nous raconte la fin de sa vie : Ti-Louise a donc repris le relais d'écriture et de mémoire. Sa grand-mère lui a confié *le cahier* car « ce sont tes racines de sang, de boue, de lave et de sel » (p. 85).

C'est bien à une transmission à laquelle nous assistons mais pour lier tous les disfonctionnements du passage d'une personne à l'autre, il faut bien admettre qu'il est, en fait, lu-écrit-imaginé par la dernière de la lignée, Marie-Gabriel, l'héroïne :

> « Tu sauras un jour que le langage des femmes est composé toujours de phrases tamisées qui se méfient des oreilles trop exposées et vont s'installer au fond des yeux décirés, des cœurs ouverts et des ventres féconds. Tu sauras cela quand tu auras éduqué ton corps à la faim, à la peur et à l'amour, les trois sources qu'avait enseignées la capresse Anaïs au fin fond de Baille-Argent, aux petites filles et aux petits garçons des morts de 1802. » (p. 84.)

Ainsi, à travers *le Cahier*, *l'Isolé Soleil* (et peut-être la trilogie ?) devenant un long cahier... concrétise le projet d'écriture que Marie-Gabriel s'est fixé après la mort du père (pp. 11 à 18) et se réalise dans la multiplication des voix. On peut mieux comprendre alors certaines affirmations du début du roman :

> « Cependant, par précaution, TU n'écriras jamais JE. Quand on a déraciné l'amour, il n'y a plus rien que TU, VOUS, ILS à déclarer. Mais tu signeras toujours de ton seul prénom : Marie-Gabriel. » (p. 18.)

En miroir, à l'autre bout du texte : Daniel, voix participante et non autorité fictive.

Nous avons dit précédemment que les autres « genres » personnels sont également très présents ; ils servent de documents au *Cahier*-manuscrit en cours d'élaboration. Le journal, tout d'abord où un personnage diégétique (Siméa, Toussaint) ou référentiel (Angela Davis) engrange des informations et des impressions. Les lettres, – le genre épistolaire – apportent leur contribution de confidence personnelle à cette saga collective.

Faisant peu de place au récit classique, *L'Isolé Soleil* s'attache peu à tout ce qui permet la construction du personnage dans l'écriture réaliste, son portrait physique et psychologique, ses faits et gestes, son rôle dans une intrigue.

Soufrières

La Guadeloupe vit un été d'attente de cataclysme car la Soufrière, depuis plusieurs mois, bouge et gronde. Marie-Gabriel a trente et un ans : elle vit aux Flamboyants, travaille à l'hôpital à la formation du personnel soignant et écrit *L'Isolé Soleil*. Autour d'elle, quelques amis forment un groupe plein de convivialité et d'amitié : l'ami-amant Antoine, professeur au lycée comme Toussaint et Inès, le couple d'agriculteurs, Rosan et Gerty et les amies blessées de l'asile, Angela et Élisa. Adrien est toujours à

Paris et rentre au courant du mois d'août, après avoir participé au festival d'Avignon où il rencontre Ariel, l'ex-femme de Toussaint. Été d'attentes et d'explosions, la vie n'en continue pas moins et l'écriture en donne le récit. Car, comme l'écrit Élisa, sur le manuscrit presque achevé à la fin du roman :

> « L'exil s'en va ainsi portant de malhabiles grains aux oiseaux nés du temps qui jamais ne s'endorment aux espaces fertiles des enfances remuées. » (p. 267.)

Quelques événements saillants surviennent comme l'accouchement de Gerty, le repli aux Flamboyants lors de l'évacuation générale, la guérison progressive d'Élisa, l'ensevelissement des cendres de son fils par Adrienne Roussy, sa mort attendue, celle de Toussaint : mais ces faits s'impriment dans la vie sans apporter de bouleversements dans le rythme narratif. Le sujet du roman reste, comme pour *L'Isolé Soleil*, la mise à jour d'une écriture en accord avec la nature tropicale.

La construction de ce second roman est, néanmoins, tout à fait différente. Elle est plus classique tout en conservant certaines particularités du roman précédent : l'attribution du « je » au volcan et au manuscrit, l'insertion de quelques lettres et l'intrusion stratégique textuellement mais peu étendue, du « tu / je » de Marie-Gabriel et Adrien.

La construction romanesque est influencée par deux types d'écriture en accord, soit avec l'événement – le reportage journalistique –, soit avec l'activité artistique des principaux personnages – le théâtre –. Nous ne nous attarderons ici que sur l'écriture théâtrale.

Il y a toujours l'idée de reportage chez moi, dans les trois romans : des moments de vérités simples et nues – telles que les choses se sont passées – sont nécessaires. L'écrivain est alors un historien des faits ; il privilégie une volonté de vérité, d'objectivité : une manière, pour lui, de dire que le réel est là, qu'il existe, qu'on n'est pas en train d'inventer. L'écriture sort de la fiction et est nourrie de la vérité objective des événements : le cyclone, l'éruption, les révoltes des rues de

Basse-Terre et Soweto, à leurs dates vraies. Je suis obsédé par le déni d'existence qui a frappé nos sociétés et nos cultures et il est important de ne pas tout référer à la fiction, de ne pas faire croire que le réel antillais n'existe qu'à la condition qu'il soit réinventé. À l'inverse, je suis aussi soucieux de ne pas succomber à la dictature du réalisme, à l'exigence de témoignage vrai et au déni du rêve et de la fiction. Car, autant l'imaginaire et le rêve que le réel et le réalisme sont également sources de notre conscience, tout comme les blessures du corps esclave accompagnent et nourrissent l'espoir libéré dans les cœurs.

Antoine et Adrien sont plongés dans l'adaptation de *La Danse de la forêt*, « la danse de la femme-volcan » de Wole Ṣoyinka, écrivain du Nigeria, prix Nobel, que D. Maximin a contribué à faire connaître dans le monde francophone en faisant publier la traduction de ses pièces aux éditions P.J. Oswald ; Adrien a, en plus, l'adaptation de Patrick Chamoiseau pour *Avignon* de *La Mulâtresse Solitude*. De nombreuses parties du roman sont constituées de tableaux : le lecteur passe d'un lieu à l'autre comme au théâtre, avec des énoncés comparables aux didascalies.

Dans « Défilé antillais », par exemple, le lieu est, à chaque fois, donné. Dans « La rumeur de la terre », c'est le temps qui, cette fois, est précisé. Une vraisemblance est conservée sans que soient ménagées, d'un tableau à l'autre, les habituelles transitions romanesques. La dernière partie, « L'oiseau du possible », pousse encore plus loin le traitement théâtral, en choisissant l'unité de lieu, l'habitation des Flamboyants. L'unité de temps est, quant à elle, respectée dans chaque partie puisque le romancier choisit cinq journées, de la fin mai au début septembre 1976. Chaque partie suit une journée entière des personnages, de l'aube à la nuit. L'unité d'action, enfin, est repérable puisque tout ce qui advient n'est que l'écho symbolique de l'éruption volcanique comme, par exemple :
– la représentation théâtrale, « la danse de la femme-volcan » et les musiques choisies dont « Blue note for Mongezi » de quatre musiciens sud-africains ;
– l'accouchement de Gerty ;

– la mort – accidentelle ? – de Toussaint : « une gerbe de flammes, une épaisse fumée, l'explosion suspecte de la voiture, comme une bombe embrasant le chargement de sucre et de rhum en réserve » (p. 264).

Alors, le théâtre serait à l'opposé du reportage : parce que pour le passé, pour l'Histoire, pour celui qui n'était pas là, il faut être au plus près des choses. On touche les rapports du réel et du fictif. D'autres œuvres de fiction – théâtrales ou romanesques – vont offrir leur pouvoir de représentation. Ainsi, je me réfère au théâtre de Ṣoyinka avec les personnages de La Danse de la forêt *: une prostituée plus ou moins louche, un chef qui a commis des malversations, un artiste, le sculpteur, qui a eu un moment de lâcheté : il a laissé mourir son assistant et porte cet acte comme un drame. Dans le théâtre de Ṣoyinka, j'ai retrouvé aussi les croyances yoruba : la conviction que tout est à rejouer, que tout est cyclique. Ainsi en mettant en scène cette histoire du passé, on éclaire le présent. La fonction du théâtre par rapport au doute qu'incarnerait plutôt le roman, c'est d'incarner la vérité du personnage parce qu'il donne une chair à la fiction en la personne de l'acteur : le théâtre permet d'accomplir un rituel pour voir concrètement la situation. Ce n'est pas simplement une voix, une lecture, une écoute – comme dans* Les Mille et Une Nuits *où le génie de Shéhérazade n'a rien d'autre que sa voix solitaire –, c'est une représentation collective où l'auteur n'est plus seul.*

Alors que le cahier, genre analysé précédemment, est plus le lieu de la solitude, une sorte de collecteur de paroles individuelles ; le journal est plus intime, le cahier étant plus ouvert que le journal.

Cette mise en abyme de l'événement premier assure une unité d'action étrangère à la facture de *L'Isolé Soleil*.

Le nombre des personnages est réduit à huit principaux, à autant de personnages secondaires et à des figurants (le peuple guadeloupéen et les officiels). Par rapport au roman précédent, Antoine gagne en présence et en nécessité romanesque. Il a la chaude assurance du musicien bien ancré dans son île, toujours prêt à accueillir et à donner :

> « son corps sans angles morts ni trop-plein à déverser d'urgence, son corps assez plein de lui-même pour faire sa place en lui à l'espace de l'autre, à la plénitude ou au désarroi de l'autre, à sa retenue ou à son élan » (p. 63).

Professeur de musique au lycée, il prépare, avec ses deux grandes classes, une pièce de théâtre en collaboration avec Adrien et Inès. Qu'il soit musicien, amant ou enseignant, il est toujours attentif aux autres. Inès, leur amie, professeur de français, est une femme à l'explosion bloquée par une éducation assimilée et ses névralgies jouent à « nous-mêmes nous-mêmes au milieu d'amis sûrs » *(p. 51)*. Le troisième enseignant-ami est Toussaint qui ne peut vivre sans le secours des mots d'autrui :

> « en bon professeur de philosophie, Toussaint porte toujours dans sa mémoire une réserve de sentences et de citations, pour se tirer des situations délicates, ou bien même pour s'y fourrer » (p. 53).

Il sacrifie son désir à ses convictions politiques et meurt au volant de sa vieille 2CV, à la fin du roman.

On ne peut raconter le retour à la terre, l'ancrage dans l'île sans un personnage qui la cultive ... d'où l'importance de Rosan et de ses activités agricoles, Rosan, « le plus respectueusement arc-bouté à son île » (p. 61) et qui note, scrupuleusement, dans son petit carnet noir tout ce qui aide à comprendre le volcan, qui organise la résistance et non la fuite. À ce groupe d'amis dans l'île, vient se joindre Adrien, le frère d'élection, complice de création et complice amoureux, hantée par l'écriture comme Marie-Gabriel et partageant avec Antoine la musique et ... Marie-Gabriel. Et puis Ariel, la femme de Toussaint et mère du petit Manuel, blessure d'amour pour deux des personnages.

L'explosion volcanique est bien le sujet spectaculaire du roman mais son traitement documentaire n'a d'intérêt pour le romancier que dans la mesure où il induit une manière d'être guadeloupéen, une manière de vivre ses fidélités, ses fraternités et ses désirs.

Car *Soufrières* raconte la chaleur amicale et le désir amoureux, l'attention à l'autre pour l'aider à se remettre sur la voie de sa vie : Marie-Gabriel accompagne Élisa, jeune fille de dix-sept ans, blessée profondément lors des émeutes de 1967 ; elle la suit sur la voie de la guérison inventant, pour contourner son mutisme, le « parler-papier » et l'usage du magnétophone ; elle est aidée par Angela, la petite Angela de Siméa qui a maintenant vieilli et qui travaille à l'asile. Chaleur amicale qui met du baume aux cœurs blessés que sont Inès et Toussaint, sans parvenir véritablement à les désembourber.

Désir amoureux toujours présent et mis en scène dans les moments les plus poétiques du roman : idylle effleurée et murmurée entre Jadreuse et Élisa, « long échange de douceurs apaisantes dans l'intimité des chuchotements », entre Rosan et Gerty ; désir brisé entre Ariel et Toussaint, entre Ariel et Adrien ; épanouissement amoureux entre Antoine et Marie-Gabriel, fulgurance de la passion, un instant acceptée, entre Adrien et Marie-Gabriel : « Marie-Galante et Désirade, est-il impossible d'imaginer votre dérade d'îles en ailes sur la Caraïbe, avec des si en bouteilles confiées à la mer pour la rencontre de vos sillages ? »

Autour de ces personnages, les plus anciens mettent une note de permanence, de mémoire et de confiance en la terre, à transmettre de générations en générations : Angela, souvenir de Siméa, le père-Remy qui convie son fils Antoine, – et nous, avec eux... – au début du roman, à un « décollage musical [...] pour réveiller Soleil » (p. 20) ; Man Yaya qui apostrophe la Soufrière pour qu'elle ne perturbe pas l'accouchement de Gerty et accomplit les gestes de toujours pour donner bon départ dans la vie à la petite Siméa ; Man Nono, en lisière de connivence pour ses enfants séparés, Toussaint, Ariel et leur fils, Manuel ; Adrienne Roussy, enfin, belle figure d'institutrice à la retraite qui offre à Marie-Gabriel les derniers mots écrits par son fils avant sa mort violente en 1943 : mots que celle-ci intègre dans son manuscrit, faisant de Toussaint-Tison, l'ami de Louis-Gabriel et de Siméa.

Cette construction romanesque est marquée enfin par une modalisation particulière : tout ce qui arrive à l'intérieur du groupe élu est rapporté sans heurt ni violence, la distance explicative introduite atténuant la brutalité des faits et une charge émotionnelle négative. Les exemples les plus frappants sont ceux qui renvoient au couple Ariel / Toussaint ou à la mort de ce dernier. Mais c'est également patent dans le traitement de la relation amoureuse que Marie-Gabriel entretient avec ses deux amis, sans provoquer ni jalousie ni possession : « Marie-Gabriel, Antoine et Adrien doivent être sur la plage de leur bain de minuit. Antoine fait passer la bouteille de rhum vieux à la santé des trinités sans troisième. » (p. 264.) Par contre, les heurts et les blessures sont vives et laissent des traces inguérissables lorsqu'elles viennent de l'extérieur comme pour Angela, Élisa, Marie-Gabriel, Toussaint.

Une attention extrême aux itinéraires et aux toponymes inscrit le pays dans un quotidien. Les faits et gestes de tous les jours humanisent à l'extrême les personnages et la convivialité se traduit aussi par un hymne constant aux mets et recettes du pays. Les odeurs, les couleurs et les goûts sont intégrés dans des vies bien concrètes. Tout nourrit cette convivialité : les repas, la danse et la musique, les discussions, pimentées de whisky et de rhum, les cadeaux, dons symboliques pour tous, ces insulaires en quête d'un chant à la mesure de leur rêve.

Ainsi le « défilé antillais », parti de Saint-Claude, s'y achève avec Angela et Élisa. Entre-temps, il nous a conduits à Pointe-à-Pitre, nous a fait faire le chemin jusqu'aux Flamboyants, sauter au Matouba, revenir à Basse-Terre, à Saint-Claude, repartir à la Savane-à-mulets, au pied du volcan, revenir encore une fois à Saint-Claude, repartir au Baillif chez Rosan et Gerty, rentrer aux Flamboyants et refaire un petit tour au Baillif et à Saint-Claude...

L'héroïne est toujours Marie-Gabriel, plus « palpable » ici dans ses relations aux autres et les gestes qu'elle accomplit :
– geste d'écriture : tous ses amis suivent avec intérêt et sollicitude l'avancée de sa création ;
– geste d'aide et de soin : auprès d'Élisa en qui elle reconnaît une sœur blessée ; auprès de Gerty qu'elle accouche ;
– geste d'amour : avec Antoine et Adrien.

Et ce sont les Flamboyants qui sont accueil et refuge.

Dans ce reportage ou ce théâtre, le cahier n'est plus le genre dominant mais demeure une référence des personnages. Dès l'envoi, il désigne le manuscrit que Marie-Gabriel ne doit pas abandonner, qu'elle doit enrichir :

« Ton cahier s'entrouvre. [...] Alors tu te fabriques un arc avec le mot caraïbe, un mot d'amour sans haine avec le mot roman, et tu lances une flèche messagère qui touche au cœur l'oiseau dans un éclat de couleurs au niveau de la mer, pendant que tu profites de l'arc-en-ciel qu'il t'a tracé pour redescendre vers la terre et les tiens. » (p. 12.)

L'allusion au cahier-manuscrit revient à différentes reprises dans le roman. Au soir de la journée du 23 mai, Marie-Gabriel pense :

« Et sans doute à cette même heure, des dizaines d'autres Antillais noircissent eux aussi des cahiers d'écriture au sujet de la Soufrière, pour faire sortir la solitude de l'isolement qui guette. Tandis qu'elle-même n'en finit pas d'achever le roman de Siméa, une histoire d'amour et de dissidence, née il y a une trentaine d'années au pied de ce même volcan. » (p. 61.)

Lors de la journée du 16 août, elle referme « ses cahiers, car elle n'aimait pas continuer à écrire en compagnie » (p. 179) ; mais Inès la supplie de lui lire les dernières lignes de ce qu'elle vient d'écrire : on y reconnaît un passage de la lettre de Georges à Jonathan. Car, dans ce cahier-manuscrit, Marie-Gabriel engrange documents, cartes et lettres. Son *alter ego*, Adrien, a toujours lui aussi son cahier d'écritures dont des extraits sont cités par deux fois comme nous l'avons vu dans notre premier chapitre.

Deux autres personnages sont associés à l'écriture-cahier :
– Élisa, qui en consomme un par mois, ne montrant qu'à Marie-Gabriel ce qu'elle écrit. Plusieurs allusions sont faites à « ses cahiers à l'écriture serrée » (p. 257). C'est elle qui sauve le manuscrit-cahier, à la fin du roman, au moment de l'incendie des Flamboyants ;
– Rosan, dont Inès découvre le carnet noir dans la boîte à cigares : « Eh bien, tu vois ça, Antoine, M. Rosan se moque gentiment de Marie-Gabriel et de notre pièce à nous sur le volcan, et pendant ce temps, il nous écrit en douce une espèce de Journal de l'année de l'éruption. » (p. 55.)

Le cahier est bien une pratique d'écriture partagée par les êtres soucieux de quête et de mémoire.

L'Île et une nuit, point d'aboutissement de la trilogie

La construction romanesque du dernier roman est encore différente et beaucoup moins complexe. Le choix du sujet est celui d'un autre cataclysme : « L'autre cyclone du siècle est annoncé ». Il semble que nous soyons en 1989, Marie-Gabriel a donc 44 ans. Toute la maison est prête à affronter la violence du vent. On se souvient des conseils de la Soufrière : « pour le cyclone on se fait racines, on ne bouge pas de la case, on laisse passer » (p. 146 de *Soufrières*). Conseil que suit Marie-Gabriel qui vit toujours seule et affronte, seule, l'ouragan. Comme dans le roman précédent, le cataclysme permet d'évaluer les forces de l'insulaire : femme entre les femmes, Marie-Gabriel mesure sa solitude au pire moment, aussi doit-elle imaginer des soutiens et des protections.

Chaque heure passée convoque une de ces protections : les amis, les livres, Adrien, la mémoire de la naissance et de l'enfance, la musique, le conte et la légende. La septième heure est celle de l'acte de courage vital : quitter les Flamboyants pour essayer de survivre en se réfugiant dans la voiture.

Sept heures, sept chapitres, sept inventions du réel et du rêve, la structure du dernier tome de la trilogie se laisse plus aisément appréhender que celle des précédents.

Le narrateur est présent et omniscient même si parfois il semble déléguer son pouvoir d'organisation à l'œil du cyclone ou à la musique. C'est lui qui, en dernière instance, raconte tout ce qui se passe. C'est lui qui occupe la septième heure de deux façons, en s'adressant à Marie-Gabriel : « À l'origine, je t'ai rêvée, puis je t'ai inventée. Puis tu m'as invité. En toi, en ton cahier. » (p. 157) :
– en se séparant du sujet de l'écriture qu'il a créé comme double de sa voix et reflet de son désir : « ensuite, tu pourras te mourir, c'est-à-dire rendre la Clé et le Miroir » (p. 159). Et plus loin :

« la septième heure avance vers notre fin. [...] Nous devons nous abandonner » (p. 165) ;

– en achevant le destin du sujet de la fiction : Marie-Gabriel, sauvée du cyclone : « La septième heure la trouva endormie. La fin du cyclone la réveilla. » (p. 172.)

Marie-Gabriel disparaît en tant que force de l'écriture pour avancer dans son labyrinthe. C'est une sorte de mort pour préparer la renaissance d'autre chose. Marie-Gabriel, personnage diégétique de la trilogie sort, elle, vivante du cyclone et un autre imaginaire pourrait s'en emparer pour poursuivre sa trajectoire...

Tous les autres personnages disparaissent... ou presque. Le cyclone et la manière d'y résister – chacun chez soi – justifient cet évanouissement, sur le plan de la vraisemblance romanesque. Il est un bon prétexte pour ne garder que l'essentiel et intensifier le tragique de l'événement et du terme de la trilogie.

Ces allusions ne suffisent pas à assouvir le plaisir que le lecteur a, habituellement, avec une trilogie : ce mouvement qui mime la vie en suivant les personnages dans leur devenir. Car ce n'est pas une saga guadeloupéenne qu'écrit Maximin mais une méditation sur l'écriture et la mémoire autour d'une figure centrale enrichie, lorsque c'est nécessaire, de figures satellites.

> *Le retour des mêmes personnages dans le second roman n'est pas choisi dans l'esprit d'une saga mais d'une méditation sur l'écriture et la mémoire. Dans une saga on montre, on déploie chronologiquement, il n'y a pas de but mais il y a une fin.*
>
> *Alors que là... j'ai envie de dire : tout est orienté... comme avec une boîte d'épingles à l'approche d'un aimant : toutes prennent un sens et un sens que l'on aspire à montrer volontairement. Les questions sous-jacentes sont les mêmes... : l'écriture et la mémoire permettront-elles de montrer ce que je suis, mon désir de création et les Antilles avec les êtres humains et leurs relations. Ce n'est pas du formalisme esthétique, c'est éthique.*
>
> *Peut-être est-ce là qu'on retrouve l'écrivain avec sa passion de montrer, de démontrer, de faire changer le lecteur. L'idée, dans une telle perspective créatrice, n'est pas que le*

lecteur pense ce qu'il veut à l'aboutissement car toute cette accumulation de réel a servi à élucider, à faire avancer.

Dans ce sens-là également, il n'y a pas le rythme de la saga qui prend son temps, qui a le temps, qui montre le temps, qui s'étale dans un espace en général peu limité où la terre se finit dans le ciel aux Antilles ; le temps et l'espace nous ont toujours été comptés. On est dans la fragilité de l'instant, de ce qui peut disparaître, qui a failli ne pas exister. Il y a une espèce de fébrilité volcanique qui n'a rien à voir avec le rythme de la saga. L'île et l'écriture sont embarquées comme de frêles bouteilles à la mer. D'où peut-être le rétrécissement temporel de la trilogie à mesure qu'elle avance dans le temps : on est parti d'un siècle dans le premier roman, pour arriver à cinq jours dans le deuxième puis à 7 heures, dans le dernier roman.

Pendant la première heure, on apprend qu'avec Élisa et Gerty, Marie-Gabriel a cueilli toutes les fleurs ; que la veille, vendredi, Rosan est venu vérifier l'état des Flamboyants : « Rosan nous surprendra toujours avec son obsession de préparer les résistances plutôt que d'organiser les fuites. » (p. 18.) C'est encore lui qui est cité plusieurs fois aux pages 21 et 22 ; puis, à la page suivante :

« le téléphone sonne encore. Cette fois, c'est Siméa qui parle, réfugiée chez Rosan à Baillif avec sa mère Gerty, pour passer ensemble le cyclone, loin de leur maison plus fragile de Goyave où elles résident toutes deux depuis la séparation du couple ».

Il est ensuite question de la mère de Toussaint. Enfin, pour clore cette première heure et les allusions à l'antériorité romanesque, la voix narrative rend hommage aux Flamboyants qui ont résisté en 1928, qui ont failli brûler en 1976 et qui vivent leurs dernières heures.

La deuxième heure sous-entend le nom de Toussaint – pour qui a lu *Soufrières* – puisque sont citées des paroles dites à Élisa. À la troisième heure, on devine qu'il s'agit d'Adrien mais il n'est jamais nommé. La quatrième heure rappelle Siméa, la mère et la mort de Louis-Gabriel. La cinquième heure choisit une musique pour accompagner la future veillée mortuaire de chaque ami :

Antoine, Adrien, Gerty, Rosan, Inès, Ariel, Toussaint, Élisa mais sans s'attarder sur leur devenir. D'Inès, on sait qu'elle enseigne désormais à Haïti et d'Ariel qu'elle est « repartie vivre avec son fils, Manuel, au bord de sa Méditerranée, face à l'Algérie natale, après sa rupture avec Toussaint... » C'est une manière aussi de mettre une dernière « touche » aux différents portraits avec quelques silences... sur Antoine, Angela, Élisa.

Ainsi *L'Île et une nuit*, dans son dépouillement structurel et son choix du chiffre 7 « qui indique le sens d'un changement après un cycle accompli et d'un renouvellement positif », clôt un cycle de création sans museler l'imaginaire. Il condense l'essentiel de l'offrande de cette écriture romanesque : l'écriture comme résistance, la féminité comme désir d'authenticité de l'être, le dialogue des créations, l'immersion dans les éléments primordiaux et les forces naturelles.

Au terme de ce chapitre, on pourrait symboliser la trilogie par une pyramide dont la base serait cette large brassée de mémoires pour dire la Guadeloupe, mémoires qui hantent *L'Isolé Soleil* ; l'intermédiaire, les désirs dans la souffrance et la complicité des habitants de l'île ; le sommet, le geste de survie d'une femme arc-boutée contre les éléments les plus destructeurs.

L'Île et une nuit
Un récit-veillée
Sept heures d'une seule nuit.
Résister et non fuir.
Triompher et poursuivre.
M-G. a 44 ans

Soufrières
Le théâtre de la connivence
Cinq jours choisis dans quatre mois de 1976.
L'Île est un personnage. Complicité de la géographie.
M-G. a 31 ans

L'Isolé Soleil
Une épopée poétique
Près de deux siècles d'Histoire
Collectivité.
Échos de l'Histoire et complicité de la Géographie.
M-G. a entre 17 et 24 ans

Le terme d'épopée convient mieux que celui de saga car dans l'épopée, il y a un but et... un chantre. L'idée de pyramide donne bien l'image du resserrement d'un roman à l'autre de la trilogie. Mais, à la fin, il y a plus de sérénité. Marie-Gabriel a acquis une certaine plénitude. L'accélération du temps ne signifie pas la fébrilité. Le récit montre une femme en pleine possession de sa vie et ce sentiment lui donne la capacité de dépasser les malheurs et de repartir de plus belle vers le monde et les autres. Ce n'est pas une quête acharnée de survie mais la puissance de lâcher prise vers la vraie vie. Dans Soufrières, *le malheur prédit, attendu, n'était pas venu ; mais dans* L'Île et une nuit, *on constate que lorsque le malheur arrive, on est suffisamment fort pour lui résister.*

3

Jeux d'écriture

Dialogues avec d'autres œuvres

« Sur la Terra Nostra de l'Amérique, les écrivains doivent écouter le chant des aveugles qui font peau neuve dans la zone sacrée et leur conseillent d'écrire d'une manière impure, parodique, mythique et documentaire tout à la fois. »
(*L'Isolé Soleil*, p. 96.)

La poéticité de l'écriture de la trilogie est une évidence dès la première lecture. Nous utilisons ce terme pour désigner les moyens que se donne la langue du poète pour graver, par un certain nombre de procédés, des scansions poétiques qui rythment la trilogie à la mesure d'un lyrisme collectif exprimant une nature et une Histoire de douceur, de bruit et de fureur...

Par ailleurs, et dans le même élan d'écriture, ce « chant » guadeloupéen convoque d'autres créations, littéraires, picturales et musicales qui transforment en chœur le « solo » qu'est néces-sairement toute œuvre littéraire.

Ces emprunts, assimilés à la nouvelle aventure créatrice, dévoilent bien, comme le formulait Roland Barthes, les désirs, les préoccupations, voire les obsessions de l'écrivain. Afficher ainsi le rapport aux autres textes et à celui du grand texte de la culture collective, c'est accepter la question que posait le critique : « Quels textes accepterais-je d'écrire (de réécrire), de désirer, d'avancer, comme une force dans ce monde qui est le mien[1] ? »

Comment ne pas penser à l'appréciation du travail d'écriture d'un autre écrivain contemporain, J.M.G. Le Clézio, à propos duquel Jean-Louis Ezine écrit :

> « Il y a un mouvement des mots et du langage, un rythme. Et lorsque c'est bien fait, quand on sent une bonne jonction entre le savoir-faire et l'inspiration, le désir d'agir, alors, est irrésistible[2]. »

L'écrivain lui-même reconnaît :

> « L'art est une forme d'artisanat. Mais c'est encore plus vrai pour l'écriture. [...] Je crois que l'écrivain est une sorte de bricoleur. Un bricoleur de mots – avec tous ces pourcentages dont on a parlé tout à l'heure : les 96 %, plus les 1,5 %, etc. Il y a d'ailleurs aussi le goût, que j'ai oublié de mentionner. Il faut ajouter le goût, qui fait que tout ça tient ensemble. Parce que l'imaginaire sans les réminiscences, sans les lectures, sans l'apport des autres, ça ne tient pas debout. Il faut quelque chose, une glu, pour que ça tienne[3]. »

Leitmotive et aphorismes

Énoncés courts qui reviennent d'un bout à l'autre de la trilogie, les leitmotive sont d'abord amplement programmés dans *L'Isolé Soleil* et la trilogie y a constamment recours. On hésite parfois à classer tel énoncé dans la catégorie des aphorismes ou des proverbes. C'est, en tout cas, une technique d'écriture chère à

---

1.   R. Barthes, *S/Z*, 1970, coll. « Points », p. 10.
2.   J.L. Ezine, entretien avec J.M.G. Le Clézio, *Ailleurs*, Arléa, 1995, p. 30.
3.   *Ibid.*, p. 31.

Maximin car elle permet de dire et de suggérer par le détour de l'image et de fondre sa voix dans celle du collectif.

Le désir principal est de retrouver le « nous », de retrouver des paroles antérieures qui ont déjà été dites et pas seulement par les écrivains. J'essaie de rechercher ce que les peuples ont pu exprimer dans l'oralité. Alors, évidemment, j'ai recueilli des proverbes qui s'injectent dans le récit, le ponctuent pour qu'il n'y ait pas de parole unique.

Cela donne un rythme au récit mais ce n'est pas seulement une question esthétique : cela révèle aussi ce que je veux montrer, mettre en relation, ce qui est attesté, la sagesse populaire pour ponctuer une histoire particulière. La sagesse africaine nourrit le paysan antillais. Certaines expressions sont inventées, d'autres empruntées...

Un bel exemple en est donné dans *L'Île et une nuit* dans l'énoncé qui synthétise la vertu humaine essentielle pendant un cyclone : « La patience est une pierre au cœur de laquelle une source creuse sa sortie. » (p. 30.)

* *La feuille du bois canon*

Le premier leitmotiv, non inventé, sorte de variation du fameux titre de Frantz Fanon, *Peau noire, masques blancs*, est introduit par Georges dans sa lettre à Jonathan : « Les Nègres libérés souffrent de la hantise d'être à l'image des feuilles de bois canon, qui sont vertes dessus et blanches en dessous. » (p. 44.)

Il exhorte à se libérer de la soumission pour réapprendre à être soi-même. Ce n'est pas exister que d'être reflet déformé dans le regard de l'Autre.

Ce leitmotiv, le narrateur du *Cahier* le reprend dans la déclaration d'abolition de l'esclavage pour souligner le moment où les Nègres acceptent de s'effacer dans les Assemblées (p. 80) et il est ponctué par cette appréciation : « C'est ainsi que des peuples qui ont su mourir pour la liberté s'en aliènent la jouissance par des actes de savoir-vivre. »

Plus loin dans le récit, Louis-Gabriel se souvient de cette image (p. 213) du bois canon et Toussaint, à la fin de son *Journal de dissidence*, note : « Réveiller ce peuple de Bois-Canon à grands coups de symbole. » (p. 228.)

Par sa signification et ses énonciateurs, il est à référer à la parole des pères. Un autre leitmotiv vient souligner et ponctuer la parole des mères.

* *Les racines et les fruits*

Reprenant la formule utilisée initialement (p. 17), Marie-Gabriel répond à Adrien (p. 119) qu'il ne faut pas omettre « de faire parler les mères, car elles ont des racines puisqu'elles portent des fruits ».

Ces métaphores associées, – leur répétition signe l'invention poétique et l'importance que leur accorde le narrateur –, se retrouvent dans le *Journal de Siméa* et sont appliquées à l'écriture : « derrière chaque visage, il y aura un fruit à rechercher, derrière chaque fruit, une phrase bien verte » (p. 140).

À la fin de *L'Air de la mère* (p. 275), le leitmotiv revient sous la plume de Marie-Gabriel : « Avant même de t'avoir retrouvée, j'avais laissé parler les mères, car elles ont des racines puisqu'elles portent les fruits. »

Ainsi parole des pères et parole des mères s'excluent mais se complètent aussi, car la première dit un ancrage un peu étouffant dans l'Histoire alors que la seconde, sa plongée dans la mémoire du groupe : « L'histoire est un piège tendu par nos pères. Nos mères n'ont pas besoin du passé pour se rattacher à nous. » (p. 117.)

* *Le secours de la géographie*

Le troisième leitmotiv concerne, bien entendu, la réconciliation avec la géographie et l'idée de cyclique. Il apparaît dans la « question » qu'Adrien se pose à propos de Delgrès : « Avait-il déjà choisi de mourir avec la complicité de l'histoire, plutôt que d'espérer le secours de la géographie ? » (p. 92.)

C'est toujours Adrien qui, dans sa liste de « vérité », énonce : « la géographie a défait notre histoire » et le lecteur doit répondre : « faux ! » Siméa reprend le leitmotiv à son compte lorsqu'elle discute longuement avec Toussaint de la distance et de la proximité que les Antillais ont à entretenir avec l'Afrique et l'Amérique : « Alors croyez-vous qu'il soit sain d'opter pour l'histoire au détriment de la géographie ? » (p. 248.)

* *Le risque de l'envol*

Ce leitmotiv achève *L'Isolé Soleil* et ouvre *Soufrières* : « Et la feuille prend son vol au risque de sa verdure. » Il s'applique, sous forme interrogative ou affirmative, selon les séquences, aux personnages en quête d'authenticité.

* *Le compte des plumes dispersées*

Au moment de l'avortement de Siméa, un énoncé dérivé d'un conte de Lafcadio Hearn, repris par Césaire, annonçait la résistance inéluctable après un combat apparemment perdu : « L'oiseau aux plumes jadis plus belles que le passé exige le compte de ses plumes dispersées. » Elle indique la nécessité de reconstruire une identité pulvérisée.

Cet énoncé revient plusieurs fois dans *Soufrières* et *L'Île et une nuit* car les cataclysmes naturels dispersent bien des plumes et provoquent des chutes et des échecs qu'il faudra assumer et dépasser. Le relevé exhaustif des occurrences serait trop long ; nous pouvons, néanmoins, en signaler quelques exemples :
– Adrien, en vol vers la Guadeloupe en ce mois d'août 1976, note dans son *Cahier d'écriture* : « Tu repenses [...] à tous les oiseaux de l'île déshabillés de leurs habits de plumes déposés sur la plage pour prendre un bain de mer. Et tu vois l'île qui s'enfonce, infidèle à leur confiance, la plage sous les vagues, les oiseaux nus sans terre et sans ailes pour pouvoir s'envoler hors de l'eau. [...] Alors quel oiseau-zombi pourrait survivre à un pareil désastre et oser encore exiger de l'île le compte de ses plumes dispersées ? » (p. 187) ;

– dans *L'Île et une nuit*, lorsque Marie-Gabriel se décide enfin à sortir pour renforcer la maison, pendant l'heure d'accalmie, la voix narrative note : « Mais elle, il allait lui falloir, toute seule, aider l'oiseau blessé à refaire le compte de ses plumes dispersées. » (p. 86.)

À la fin de ce roman – fin de la trilogie –, le narrateur offre à son héroïne et à son lecteur tout ce que l'écriture a voulu édifier : une île, en particulier, dans toute sa complexité :

> « Ton île de ramages et de plumages souvent perdus, de rivages ravis, de membres lacérés, où les oiseaux exigent des hommes malgré tout un souci de beauté en faisant le compte de leurs plumes dispersées, en colorant l'harmonie métisse avec la septième couleur de l'arc-en-ciel » (p. 154) ;

le rouge, septième couleur de l'arc-en-ciel, teinte de sa couleur de vie, de sang et de révolte, l'histoire de l'arc caraïbe.

C'est le poème de Césaire dans Ferrements *qui fait allusion au conte : les oiseaux qui vont se laver, posent leurs plumes sur la mer et se les font voler :*

BEAU SANG GICLÉ
tête trophée membres lacérés
dard assassin beau sang giclé
ramages perdus rivages ravis
enfances enfances conte trop remué
l'aube sur sa chaîne mord féroce à naître

Ô assassin attardé
l'oiseau aux plumes jadis plus belles que le passé
exige le compte de ses plumes dispersées

* *Beau sang giclé*

C'est une autre expression, dérivée du poème de Césaire, qui resurgit à différentes occasions. Au moment de l'accouchement de Siméa, elle est liée au leitmotiv cité précédemment, ainsi qu'au moment de la mort de Toussaint.

* *pied droit, pied gauche*

> *C'est une phrase rituelle du vaudou yoruba que Ṣoyinka m'avait écrite en anglais... The right foot for joy, the left dread ... C'était en liaison avec les nombreux accidents de la route qui endeuillaient fortement la ville et le campus d'Ibadan : Ṣoyinka avait fait une association pour cela contre l'inefficacité de la police corrompue...*

Un mot complice accompagne les avancées hors des chemins balisés qui demandent un peu d'audace, « ... pied droit pour la joie, gauche pour la peine, Élisa surgit en claudiquant près de la fontaine » (*Soufrières*, p. 266) ou Marie-Gabriel, dans la nuit du cyclone : « Pied droit pour la joie, gauche pour la peine, elle s'avança sur la galerie déjà défoncée et noircie de détritus » (p. 88). Cette expression est un emprunt à la pièce de Wole Ṣoyinka, adaptée par Adrien et Antoine en « danse de la femme-volcan » : « Le pied droit marche pour la joie, le gauche pour la peine. Mon enfant, dit chaque mère, puisses-tu ne jamais poser le pied là où la route te guette, affamée... » (*Soufrières*, p. 36).

* *Force et fragilité*

Un dernier leitmotiv enfin, créé par l'auteur, aphorisme proche du proverbe, est le conseil qu'Adrien donne à son amie lorsqu'elle entreprend d'écrire, qu'elle-même transmet à Élisa (p. 112 de *Soufrières*), après sa crise de violence : « Calcule tes forces et fais confiance à ta fragilité. »

Le rôle de ces leitmotive et aphorismes est donc d'insister sur les voies fondamentales de négociation avec l'Histoire, de canaliser la réflexion vers des foyers de sens dans cette prolifération de voix des discours et d'introduire des ponctuations poétiques établissant des liens subtils entre les personnages et les événements. Il semble que la citation particulière des proverbes remplisse sensiblement la même fonction.

Proverbes

Les proverbes sont introduits – à la manière des dix commandements ! – à la p. 47, pour ponctuer, illustrer ou contredire la narration historique officielle. Épiques ou bouffons, ils interviennent comme la voix irrégulière de la clandestinité. Leur diffusion soulignera ensuite ce statut clandestin : les bracelets à proverbes que grave le Nègre marron Jonathan : le dernier gravé sera offert à Delgrès...

Au nombre de douze en dix pages, il oblige le lecteur, par leur caractère mystérieux, à réfléchir à ce que l'on vient de lui donner comme information.

Tentons cette lecture...

Le chapitre commence par l'intérêt que le colonisateur trouve au maintien de l'esclavage et le proverbe commente : « Là où il y a des os, là où il y a des chiens... » (prov. 1). Au lieu de se révolter contre les troupes envoyées de France, le général Magloire se soumet à Richepanse : « Charbon n'est pas farine, farine n'est pas charbon » (prov. 2). Mais l'autre général, Ignace, se révolte et rejoint Delgrès : « Bon pied prend les devants » (prov. 3). Delgrès, chef des révoltés, affiche une déclaration, le 9 mai 1802. Pour certains des siens, cette déclaration de conciliation est trop « polie » : « Bois tout, mange tout, ne dis pas tout » (prov. 4) et « Pour survivre, laisser grand chemin » (prov. 5).

La lutte acharnée s'engage malgré l'inégalité des forces : « C'est panier pour charrier l'eau » (prov. 6) ; mais elle est interrompue par le geste plein d'humanité de Delgrès qui fait éteindre un incendie. Cette fois encore, plusieurs insurgés le désapprouvent : « Approche toujours ton sabre là où ta main pourra l'atteindre » (prov. 7). En fait, l'incendie avait été allumé volontairement par les nègres marrons dont Jonathan, pour reproduire la tactique des généraux haïtiens qui avaient transformé le pays en enfer pour faire fuir les envahisseurs ; il est donc nécessaire de tirer profit des gestes antérieurs de révolte : « Les yeux sont sans balisage, les oreilles sont sans couverture » (prov. 8). La victoire de Richepanse n'est que la conséquence de la non-solidarité des Nègres : « le chien ne mange pas le chien » (prov. 9). Les insurgés ont beau faire, il ne leur reste plus que le suicide, d'autant que Delgrès et Ignace se sont séparés : « Le chien a quatre pattes mais ne peut pas prendre quatre chemins » (prov. 10). Tous meurent dans l'explosion du Matouba organisée par Delgrès : « Bénéfice des rats, c'est pour serpent » (prov. 11).

Parmi ces onze proverbes, trois seront repris ensuite : les proverbes 1 et 9 par Antoine. En p. 289, il traduit le premier proverbe par la notion de « conscience de classe » et le neuvième par celle de « conscience nationale », permettant de réfléchir à la situation de 1802 en termes actualisés.

Le proverbe 2 sera repris par Ti-Carole (p. 81) lorsqu'elle rapporte la désignation des candidats de la Guadeloupe aux élections de l'Assemblée constituante : 2 Blancs-France et 1 Blanc-Créole, comment les Nègres seraient-ils défendus ? ... Il est repris une troisième fois par Louis-Gabriel (p. 213) au moment où il lit les annotations portées par Siméa en marge de *Tropiques*, associé immédiatement au leitmotiv de la feuille du bois canon : identité et identification.

Le douzième proverbe vient conclure le dialogue entre Delgrès et Jonathan dont nous parlions plus haut : « Voyage vers le village où tu n'as pas ta maison, mais voyage avec ton toit. »

Ce proverbe est particulièrement important puisqu'il revient trois autres fois : tronqué à la fin du Journal de Siméa : « la vie est un village où je n'ai plus ma maison » (p. 159) comme s'il s'était appauvri d'avoir été offert à Ariel en cadeau (p. 158) ; il ouvre le premier chapitre de *L'Air de la mère* mais modifié et personnalisé dans ce « miroir » Marie-Gabriel / Siméa : « Tu as voyagé avec ton toi, vers le village où tu n'avais pas ta maison. » (p. 164.)

Il est, enfin, l'ultime message de Marie-Gabriel : « N'oublie jamais mon bracelet : voyage vers le village où tu n'as pas ta maison, mais voyage avec ton toit. » (p. 308.)

Ces proverbes, sculptés par Jonathan, sont les voies tracées par la parole populaire au carrefour des choix possibles.

Chiffres

Le schéma de la « généalogie » caribéenne, construit précédemment, montre l'importance particulière accordée aux dates, ce qui n'est pas étonnant pour une écriture qui entend reconstruire l'Histoire. De façon plus systématique, le roman fait tout un travail sur le chiffre dont nous pouvons prendre un exemple avec le chiffre 7.

Les jumeaux, ceux de Miss Béa et de Louise sont portés 7 mois ; Angela meurt à 7 ans et Georges et Jonathan meurent à 35 ans (5x7), Siméa meurt un 21 juin (3x7)... Le temps qui passe est mesuré par l'âge de Ti-Carole : 5 ans, puis 7 ans, puis 27 ans... Élisa meurt à 17 ans alors que Marie-Gabriel devient orpheline à 17 ans ; Ti-Louise avait reçu le *Cahier de Jonathan* à 7 ans ; le 25 mars 1897, le tremblement de terre était interprété comme la 7e colère de Shango depuis 1802. 1917 est la date de naissance des jumeaux de Louise et la Bête du conte a sept têtes !

Il faut se souvenir que le chiffre 7, que Maximin dit considérer comme son chiffre d'élection, est un chiffre particulièrement magique dans l'imaginaire des hommes – toujours présent dans les mythes, les légendes et les contes, dans leurs différentes constructions religieuses, ésotériques – clef, par exemple, de l'Évangile selon Saint Jean – et dans les cycles naturels. À l'intersection de l'accompli et d'une possibilité de renouveau, il est « est universellement le symbole d'une totalité, mais d'une totalité en mouvement ou d'un dynamisme total », on comprendra qu'il exerce une telle attraction sur le romancier-poète qu'est Maximin, fasciné par tous les signes et les symboles.

Ainsi dans *Soufrières*, la génération des Guadeloupéens-amis est composée de... sept personnages : Marie-Gabriel, Antoine, Adrien, Inès, Rosan, Gerty, Toussaint. Mais c'est surtout dans *L'Île et une nuit* que l'écriture fait danser ce chiffre : sept heures racontées en sept chapitres pour sept modes de résistance au cyclone. Les instruments de musique des hommes traduisent le silence des femmes en transfigurant « leurs sept voix de nue, de nuit, de pluie, d'envol, d'enfance, de soleil et d'opéra » (p. 106). On nous précise bien qu'Adrien est à 7 000 kilomètres. Dans le conte, revient avec insistance, naturellement, la Bête-à-Sept-Têtes que l'on nomme : « Cheval-à-Diable, Bœuf-à-Cornes, Poisson-Armé, Pierre-de-Taille, Bon Dieu blanc, Diable noir et sa tête de chien » (p. 133). Pour affronter le désastre, Marie-Gabriel se pare de sept attributs (p. 87), et la Femme Morte meuble son ventre-terre de sept objets pour l'Enfant (p. 137). Ce sont, enfin, sept Vieillards sages qui ont préservé l'archipel des îles caraïbes (pp. 143-144).

Jeux de mots, de lettres et de noms

À la p. 242 de *L'Isolé Soleil*, on relève une expression, « la sorcellerie des noms »... La solennité de la nomination frappe, dès la première lecture :

> « Tu l'appelleras Louis-Gabriel. Louis comme Delgrès, incinéré dans nos mémoires, et Gabriel comme ton grand-père. Mais tu nommeras le prénom vrai Siméa de ta mère inconnue, et tu préserveras deux initiales amies G et J pour la fraternité. » (p. 18.)

> « La lune fait des reflets [...] sur la petite bague apparue au fond du trou déchiqueté par ta rage, cette petite bague déposée là il y a deux siècles pour l'oubli et que tu glisses à ton doigt qui saigne, après avoir lu le prénom gravé dessus : Angela. » (pp. 11-12.)

Solennité et gravité ont présidé à la nomination de Marie-Gabriel à sa naissance : « les bras chauds de son grand-père recueillant en même temps l'enfant et le prénom : Marie-Gabriel » (p. 178).

Gravité éblouissante, sans le tragique de la mort, lorsque Marie-Gabriel a aidé Gerty à mettre au monde sa petite Siméa, le 8 juillet 1976 : « c'est une fille. Avec alors un nom poussé plus fort par Gerty que son cri de douleur : Siméa - Siméa - Siméa... » (p. 155, *Soufrières*). Et la Soufrière poursuit :

> « Siméa, son premier mot de mère. Et Marie-Gabriel tremble un peu en silence. [...] Oui, Siméa, pour elle un prénom si précieux dans un corps si fragile ; un prénom si ancien et si familier dans un corps d'inconnue... » (p. 156.)

Le nom de Siméa est répété neuf fois en deux pages... Élisa aussi danse autour de son nom, le premier mot qu'elle prononce, le nom d'Élise qu'elle fredonne avec la chanson, qu'elle écrit avec le poème de Verlaine.

« La sorcellerie des prénoms », c'est aussi les jeux auxquels ils se prêtent. Le premier anagramme d'abord : Désirade qui peut prend le pluriel ou le singulier et devenir : « tu rêves à la folie de ce roman d'outre-amour pour ton désir en rade. »

Autour des prénoms se construisent une joute verbale et une re-sémantisation, une tentative de faire bouger la signification. Toutes les rencontres amoureuses sont marquées par le jeu des prénoms, reflet de ce qui se passe souvent dans la vie. Celle de Marie-Gabriel et d'Adrien au lycée inaugure le jeu : « composer des phrases avec les mots contenus dans chaque prénom » (p. 20), ce qui donne « Marie-Gabriel, abri d'aile, arbre-amie », dont on trouve encore l'écho dans *Soufrières* : « Son Adrien-soleil, avec son nid d'aide caché dans son prénom. » (p. 61.) En fait, ils ne font que rejouer le jeu proposé à Louis-Gabriel par Siméa, vingt ans auparavant, jeu dont elle lui a expliqué la signification :

> « Notre histoire n'a guère que les prénoms pour s'inscrire en mémoire. Nous ne sommes pas maîtres des noms de nos îles, ni de nos villes, ni de nos rues. [...] Alors que je comprends très bien les

rares Antillais qui veulent sortir notre dignité de son anonymat ou sa clandestinité et qui mettent cette intention dans le choix d'un prénom, nous donnant en viatique un feuillet d'une histoire méprisée par nos Histoires de France et nos ancêtres les Gaulois... Mon père, lui, a eu une autre intention. Il a rêvé pour ses trois filles d'inscrire leur destin dans leur prénom.» (p. 206.)

Rosan poursuit dans cette voie puisqu'il a envie pour l'enfant à venir de « prénoms politiques » (pp. 44-45) : Gerty et son amie en parlent en s'en moquant : « les yeux des deux jeunes femmes pétillent d'humour tranquille aux dépens des angoisses mâles » (p. 45). Auparavant, Rosan a accueilli Marie-Gabriel et Antoine en les appelant : saxo-man et Marie-Guadeloupe (p. 41).

Toutefois, lorsque le récit prend les dimensions d'un mythe de l'origine dans la sixième heure du troisième roman, les prénoms disparaissent et font place à l'emblématisation du personnage par une majuscule à l'initiale de sa désignation : la Femme, l'Enfant, le Vieillard. Marie-Gabriel peut alors changer de prénom, « Antillaise Shéhérazade » (p. 163) ou trouver son « nouveau nom secret » (p. 153) par le détour d'autres prénoms de femmes (p. 156).

Le jeu sur les prénoms c'est aussi jeu de la narration qui les reprend en écho d'un personnage à l'autre : deux Élisa – en 1785 et en 1976 : toutes deux ont 17 ans –, deux Georges, deux Jonathan, trois Angela.

Le choix des prénoms, Georges et Jonathan, se réfère aux frères de Soledad, les frères Jackson, George et John, militants de la cause des Noirs américains, pris dans le même mouvement qu'Angela Davis : l'un mort en prison, le petit frère, assassiné au tribunal où il avait surgi, mitraillette à la main, pour délivrer son frère aîné, George. Les frères Georges et Jonathan de 1802, rendent en quelque sorte hommage, par anticipation, aux frères de Soledad qui ont marqué ma génération. C'est encore l'idée de cycle, l'idée qu'on peut commencer par la fin, qu'on n'a pas à enfermer l'auteur dans la ligne droite du déroulement chronologique. Suivre la spirale qui n'est pas retour au même point : la fiction se veut lecture d'une histoire. Comme dans La Danse de la forêt *de Soyinka basée sur la certitude africaine que le rejeu du passé permet d'élucider les mystérieuses connivences qui enferment le présent dans sa répétition. Et c'est à rapprocher aussi du spiralisme, ce mouvement littéraire haïtien contemporain illustré par Frankétienne et Jean-Claude Fignolé.*

On trouve également un Dr. Frantz, écho de Fanon, des Louis en quantité, deux Toussaint, Adrien-Adrienne, Rosan et Rosan Girard, Gerty et Gerty Archimède, deux Ariel aussi. La ronde des prénoms entre surréalistes et autres poètes valsent dans *le Journal de Siméa.*

Jeu des initiales, les A, les G et J et les 3 S : ceux du bracelet d'Adrien, legs de sa mère qui l'a elle-même eu de son frère... Adrien ! « Le cœur, c'est le volcan, les yeux sont le soleil, la peau douce est la mer. Soufre, sel et source : les trois "S" de mon désir » (pp. 26 et 103) ; les 3 S, aussi, des questions-surprises de Louis-Gabriel et Siméa (p. 196) et ceux qu'Angela brode sur la blouse de Siméa pour le carnaval, que Siméa grave sur l'acoma avec le nom de Louis-Gabriel ; les 3 S qu'elle grave encore sur la clarinette lorsqu'il part en dissidence.

Arrivant au terme de l'écriture de *l'Air de la mère*, Marie-Gabriel poursuit pour son compte la prospection nominale :

> « J'ai quelques prénoms à te confier pour ton jeu qui me les dévoile. [...] Écoute encore tous mes prénoms qui caressent une envie de genèse comme un lieu idéal dans un coin de ciel dont ils auraient la clé. » (p. 276, *L'Isolé Soleil.*)

Prénoms dits, joués, démembrés, reconstruits : c'est une recherche d'une identité complexe pour échapper à l'identification, pour « être » au présent, en retrouvant la mémoire. C'est aussi un hymne à la féminité qui, comme La Soufrière et l'écriture, recherche la libération. En témoigne la lettre de Marie-Gabriel à Élisa, lui parlant

> « de l'aventure de son roman lui-même, du récit de sa propre renaissance, fragile comme celle d'une petite fille au cœur serré

sur son cahier d'écriture, une odeur de soufre dans la gorge, et un goût de sucre sur les lèvres, et qui robinsonne entre fleur et abeille sur les sentiers de la vie en changeant de prénom aux carrefours : Ti-Carole, Angela, Ève, Ariel, Gerty, Inès, Siméa, Marie-Gabriel, Élisa, prénoms d'ancrage et de dérive, d'avenir et de souvenir, collier de désirades au cou de la mère-Caraïbe » (pp. 112-113, *Soufrières*).

« Le miel métis de toutes les fleurs et des venins du monde »

Si la citation témoigne à l'évidence de ce besoin nécessaire et ludique d'associer d'autres écritures et d'autres voix à sa propre création, et si elle est, en partie, premiers pas dans la transformation intertextuelle, ce n'est que l'assimilation d'un texte autre au texte en train de s'écrire qui déploie les richesses de l'intertextualité et une position particulière par rapport à la bibliothèque potentielle. Maximin joue sans cesse entre « citations » explicites et citations intégrées, comme son texte oscille parfois entre deux genres : pure fiction ou essai historique et anthropologique. La distinction que Leyla Perrone-Moises introduit entre l'intertextualité critique déclarée et l'intertextualité poétique tacite peut rendre compte de ce va-et-vient[4].

Comme l'écrit justement R.-B. Fonkoua :

> « Les romans de Maximin peuvent être considérés de ce point de vue, comme une anthologie critique de la littérature antillaise. De Roumain à Césaire et Damas, de Tirolien à Sonny Rupaire en passant par *La Revue du monde noir*, *Légitime Défense*, *Tropiques* qui forment en quelque sorte la trilogie des sources de la pensée et de l'écriture noire antillaise des départements français d'outre-mer, Maximin repasse au crible de la critique tous les moments essentiels du discours littéraire antillais[5]. »

---

4. *Cf.* Leyla Perrone-Moises, « L'intertextualité critique », *Poétique*, n° 27, 1976, p. 373.
5. R.-B. Fonkoua, *Les écrivains antillais et leurs Antilles*, *op. cit.*, p. 744.

Ce dialogue avec les autres textes étant constant dans toute la trilogie, il n'est pas question d'en faire ici une étude exhaustive mais, comme pour les chiffres et les noms, d'en indiquer le fonctionnement pour permettre de poursuivre des analyses plus systématiques ultérieurement.

L'écriture comme échange... Commençons par deux exemples : une allusion et une citation-clin d'œil.

Dans le *Cahier d'écritures* d'Adrien, le point 7 « Corps colonisé » ne peut se lire, en toute stéréophonie, que si l'on reprend *Peau noire masques blancs* de Frantz Fanon. Dans sa thèse, précédemment citée, R.-B. Fonkoua a analysé avec beaucoup de précision les analogies entre les deux discours, « fanonnien » et « maximien » en interrogeant

> « le rapport de l'individu au langage ; de l'individu antillais à l'Autre afin de souligner l'angoisse du vécu et la mélancolie, de l'individu à l'Histoire afin de montrer le poids de celle-ci sur les histoires individuelles et la psychologie individuelle »[6].

Ce qui apparaît comme simple allusion à la lecture du texte, est donc riche, comme on peut le constater, de toute une lecture en stéréophonie. D. Maximin a souvent déclaré qu'un des textes les plus importants pour définir l'être antillais, c'était les pages, « en guise de conclusion » à la fin de *Peau noire, masques blancs*.

Le clin d'œil, à présent... Dans *L'Île et une nuit*, on peut lire :

> « Déjà, sur ton existence qui se brume en mes yeux (ton premier homme devenu l'étranger), je ne me donne plus droit aux phrases souvenirs de début et de fin : *Aujourd'hui Marie-Gabriel est morte. Ou peut-être hier, je ne sais pas... Et lui aussi, plus qu'elle peut-être, puisque né sur une terre sans aïeux et sans mémoire, une pure passion de vivre affrontée à une mort totale...* » (p. 165.)

---

6. *Op. cit.*, p. 705. *Cf.* le développement pp. 702 à 743, sous le titre emprunté à Mudimbé « L'odeur du père ».

Ce paragraphe mêle deux références camusiennes, de *L'Étranger* et du *Premier Homme*, avec une signification qui concerne son héroïne. On a un bel exemple de ce jeu fréquent auquel le romancier ne semble pas pouvoir résister et qu'il ne joue pas avec n'importe quel écrivain, Camus représentant, sur le plan symbolique, cette rencontre Méditerranée / Caraïbes, rappelée dans l'introduction de cet ouvrage[7].

Le texte se veut carrefour et échange, creuset et réceptacle. Dans une interview récente, l'auteur déclarait : « Pour moi, écrire, c'est continuer la conversation des livres. [...] Écrire, c'est une façon, tout seul à une heure du matin, de postuler toujours la possibilité des dialogues[8]. » On retrouve cette insistance sur la « bibliothèque » dans *Les Antilles à l'œil nu* : « Car, depuis l'enfance, ton œil de lecture voyait très bien de près. [...] Sauf *Le Code Noir*, aucun livre n'est étranger. Nous sommes le miel métis de toutes les fleurs et des venins du monde. » (p. 190.)

Citations et greffes éclairent la diégèse et transforment, en même temps, le texte cité et le texte citant[9]. La voix narrative est nourrie d'autres voix, trahissant ainsi solidarité et solitude, « chaque livre en appelle un autre pour offrir un lendemain à sa fin » (*L'Île et une nuit*, p. 48). Un exemple est donné en annexe, tiré du manuscrit originel de *L'Isolé Soleil*, d'un dialogue non publié entre Daniel / Marie-Gabriel / Adrien, d'une part et Hélène Cixous, d'autre part.

---

7. *Cf.* « L'Antillais étranger » dans *Algérie Littérature/Action*, n° 29, avril 1999, Paris, Marsa éditions, dans le dossier consacré à Camus où Maximin, en partant d'une phrase camusienne, essentielle pour lui : « La misère m'empêcha de croire que tout est bien sous le soleil et dans l'Histoire, le soleil m'apprit que l'Histoire n'est pas tout », développe une fois encore cette tension géographie / histoire. Citons le début de ce texte : « La géographie accouche aussi de l'histoire, même si les hommes jouent à placer leurs frontières dans le giron d'États, en crucifiant les peuples pour la conquête de l'horizon, qui offre ses limites à leur vue et à leurs bévues ».
8. Entretien, *France-Antilles*, n° 315, du 7 au 13 octobre 1995, p. 2.
9. *Cf.* J. Derrida, *La Dissémination*, « Chaque texte greffé continue d'irradier vers le lieu de son prélèvement et le transforme en affectant le nouveau terrain », in *Les greffes, retour au surjet*, Paris, Le Seuil, coll. « Tel Quel », 1972, p. 395.

Le journal de Siméa ou l'écriture poétique interpellée

Ce « journal » dans *L'Isolé Soleil* (pp. 123 à 159) disloque le nom de celle dont on agresse le corps. Les parties du *journal* égrène chaque lettre du prénom, sur le modèle des « Voyelles » de Rimbaud, sous le signe d'un poète surréaliste ou d'un poète antillais de la même période[10], lui-même sollicité par l'initiale de son nom ou celle de son titre. « S » comme *Une Saison en enfer*, le jour de l'avortement ; « I » comme *Clair de Terre* d'André Breton ; « M » comme *Légitime Défense*, numéro unique de la revue créée par Jules-Marcel Monnerot, René Ménil et Étienne Léro ; « E » comme *Capitale de la douleur* de Paul Éluard ; « A » comme le *Cahier d'un retour au pays natal* d'Aimé Césaire. Ce « journal » qui est le récit d'une scission et d'une reconquête de soi est celui de la jeune Siméa, étudiante à Paris en 1939, traductrice de poètes, admiratrice des surréalistes et passionnée de musique. La traversée de Paris, lorsqu'elle est conduite au lieu de l'avortement, se fait sous le signe d'Éluard et de Rimbaud : « traversant Paris capitale de ma douleur bleue comme un orage dans cette saison en enfer », mais aussitôt pointe Césaire *pour les poubelles du petit matin*, puis Desnos, la Suzanne de Breton à laquelle fera écho plus loin la Suzanne de Césaire. Et enfin Aragon : « Ariel, mon amour, tu n'es pour l'heure qu'une petite aiguille enchaînée au cadran de ta vie. » Vient alors *Légitime défense*, hurlée contre l'agression faite à sa vie et son corps :

> « Les bourgeois de couleur sont à exterminer. Au secours tous mes amis de notre légitime défense, Léro, Ménil, Simone, écoute-les bien toujours mon enfant, mon amour[11]. » (p. 128.)

---

10. *Cf.* Bernard Mouralis, *Littérature et développement*, Paris, Silex, 1984, 572 p., « Une rencontre importante : les écrivains noirs et le mouvement surréaliste », pp. 160 à 167. Lecture indispensable pour comprendre tout l'implicite historique, politique et littéraire du *Journal de Siméa*.
11. *Clair de terre* de Breton, publié en 1923, *L'Union libre* en 1931 et *L'Amour fou* en 1937. C'est chez Breton que Maximin trouve la « lettre à l'aérée morte » qu'il cite en l'adaptant à son propos. *Paris capitale de la douleur* date de 1926 et *Les Yeux fertiles* de 1936 ; *Corps et biens* de Desnos de

Le « M » alors de *Légitime défense* peut être aussi celui de l'écrivain. L'avortement devient image concrète de la dépossession, du vol d'identité, du viol de l'assimilation, de la revendication du dédoublement qui, à l'image du marronnage, fait naître au cœur de l'être un double authentique et non un double-décalcomanie comme dans l'écriture de l'assimilation.

Les imprécations contre Rimbaud, mêlées à celles contre Ariel, l'amant pleutre, se font précises. Le style du *Journal* mime l'écriture surréaliste dans son principe d'écriture automatique : « toute la magie surréaliste consiste donc à faire se lever les signes » et dans sa mise en pratique de l'exhortation de Breton dans *L'Amour fou* : « il s'agit de ne pas, derrière soi, laisser s'embroussailler les chemins du désir ». Il faut peut-être s'éloigner un temps des « maîtres » pour se retrouver :

> « J'ai traduit *L'Union libre* de Breton [...] André Breton idole d'Ariel. *Ma femme à la chevelure en feu de bois*, my woman ou my wife ? *aux pensées d'éclairs de chaleur*, éclairs de titiris, mirages de nos orages, *ma femme à la taille de sablier*, et je m'amusais avec Ariel à chercher dans ces vers l'image d'une Antillaise, à la taille haute et à la chevelure chabine dorée des sabliers de nos grands-places. *Ma femme aux yeux de savane, ma femme aux yeux plein de larmes*, Ariel, *ma femme aux yeux d'eau pour boire en prison, ma femme aux yeux de bois toujours sous la hache*, ma femme Ariel tu m'as fait très mal, *aux yeux de niveau d'eau, de niveau d'air de terre et de feu, ma femme aux yeux, à la taille, ma femme à la bouche, aux dents, à la langue, aux sourcils, aux tempes, aux épaules, aux poignets, aux doigts, aux aisselles, aux bras, aux jambes*, ma femme en détail, en bétail détaillé, ma femme débitée, tronquée, traquée, analysée, synthétisée, poétisée, automatisée, *ma femme aux mouvements d'horlogerie et de désespoir*, mon espoir de femme de casser vos horloges mâles et vos petites aiguilles prudemment piquées dans le foin de nos sexes, *ma femme aux pieds, ma femme au cou, ma femme à la gorge, aux seins, au ventre, ma femme au dos, à la nuque, aux*

1930, *Pigments* de Damas de 1937 et enfin, *Le Cahier d'un retour au pays natal* de Césaire, de 1939.

hanches, aux fesses, au sexe d'algue, ma femme aux yeux, aux yeux de, aux yeux de l'homme, aux yeux de l'homme dans son miroir à refléter ses habits d'homme sur l'objet aimé, la femme niveau d'eau des poètes chirurgiens et des amants architectes, femme objet à mesurer si leur amour tient debout, si leur costume tombe mâle, et notre fidélité rectiligne. Race d'Hommes-Ma-Femme, vous parlez d'union libre sans jamais citer ni le mot cœur ni le mot sang. Vous ne saurez jamais combien de cœurs peuvent battre et de sangs circuler dans un corps féminin. » (p. 141.)

Page d'une sombre violence où Siméa s'emploie, avec amertume et dérision, à dénoncer les beaux mensonges des poètes plus occupés à se contempler dans leur posture d'amour qu'à dialoguer avec leur partenaire. Le travail sur la citation, comme on le voit dans cette longue page – exemplaire – n'est pas simplement ludique ; il est aussi dénonciateur : Siméa « débroussaille » son chemin en prenant la route avec les poètes antillais de sa génération, toujours avec ces phrases citées-détournées, parodiées ou célébrées : « rire des poètes-griots d'Haïti et de leur douleur à nulle autre pareille d'apprivoiser avec des mots de France ce cœur venu du Sénégal » où elle parodie Léon Laleau. Mais son poète de prédilection est Césaire, « loin de leur monde de petit matin, de petit jour... » Le conflit existentiel, prenant ici le masque de la poésie est encore rude et le programme qu'elle se trace dou-loureux : partir « méthodique à la recherche de la trahison des poètes et des amants ». Si elle-même doit s'autonomiser, les poètes antillais aussi doivent se libérer du « maître ». À cette seule condition peuvent naître des fruits authentiques du « pays natal » :

« Quand nul poète chez nous ne sera plus tenu à l'impassible, et refusera d'éclairer nos élites de couleur, alors vous verrez s'échapper des Antilles des poètes et des fleurs et des amants et des femmes et des fruits et des révoltes plus merveilleux plus obscurs plus rieurs plus généreux qu'un clair de terre sur vos chansons de mal-aimants. » (p. 142.)

Continuant, par le truchement de Siméa, le récit historique, parodique et ludique de cette période si connue de l'histoire littéraire des Antilles, Maximin extirpe de l'oubli le poète le moins connu, Étienne Léro : « Rimbaud-Léro, poète-colibri-trois-fois-bel-cœur, les surréels poissons armés ont crevé ton tambour à petits coups automatiques. » Célébré sous le signe du colibri, la mort-suicide d'Étienne Léro, en 1939, devient exemplaire du combat que mène Siméa contre son anéantissement de femme. Les autres poètes recherchés du côté des siens, ne sont finalement pas épargnés lorsque Siméa les relit de son point de vue de femme que l'avortement a mis à vif. Aveuglée d'abord par l'élan révolutionnaire, il lui faut bien constater maintenant le peu de présence effective des femmes dans les œuvres : « Je n'écoutais de l'avenir que les tambours et les chants du Nègre colporteur de révoltes. Il vaudra mieux que je meure, si vivre c'est découvrir les serments non tenus des révoltes poétiques. » Tous ces poètes qui ont chanté la révolte et la révolution n'ont pas su donner la parole aux femmes, véritablement : « Où sont les femmes dans ton *Bois d'Ébène*, Roumain ? Où sont-elles dans ton *West Indies*, Guillen ? Que faisons-nous Damas dans tes *Pigments* ? »

Le *Journal* arrive à son terme en même temps que cette journée de viol, de meurtre et de lucidité. À la Cabane cubaine, Siméa retrouve Ariel, leur séparation étant symbolisée par l'échange des recueils de poésie : « Je te laisse Éluard et je choisis Césaire. [...] Je repousse doucement vers Ariel sa douleur capitale, et je me retourne vers le pays natal. Une ville et une île vont échanger leurs dernières paroles et leurs dernières volontés. » Césaire gardé, Rimbaud / Breton / Éluard mis à distance, le proverbe des nègres marrons, « Voyage vers le village où tu n'as pas ta maison, mais voyage avec ton toit », peut revenir sur ses lèvres comme dernier cadeau à son amant blanc. Elle peut dire alors à son amie, Gerty, « nous sommes des fruits bien mûrs pour le pays natal », à la fin de ce *Journal* qui est à la fois hommage à Césaire et anti-*Cahier*.

Le jeu sur les écritures et les références d'une même période – essentiellement l'année 1939 –, les appels à Césaire, le pastiche de l'écriture surréaliste, permettent à Daniel Maximin de faire revivre et connaître cette période de la littérature antillaise dans le vécu de ses personnages. Il nous fait découvrir, grâce au travail intertextuel et au rythme de la révolte de Siméa et à partir de toutes les allusions qu'elle n'explicite pas, l'intense activité créatrice et culturelle qui a marqué cette année-là. L'avortement de Siméa s'exprime dans la violence d'une irruption culturelle, celle de la culture antillaise et afro-américaine et fait allusion au grand bouleversement qui commence, celui du second conflit mondial du XXᵉ s. En marge de *Tropiques*, la revue des Césaire, Siméa notera quelques années plus tard : « À nous de nous inventer un avenir, sans trop attendre du passé africain et du présent d'Europe. » (p. 212.) Son *Journal* peut être aussi lu comme l'échec du mouvement de la négritude que l'on définirait alors comme expression poétique de la revendication noire dans le monde blanc. La culture n'est pas suffisante pour transformer les mentalités. Il faut continuer à vivre dans l'espace insulaire, il faut retourner dans l'île.

Nous verrons ultérieurement le travail que fait le texte sur les documents historiques qui est aussi à référer à cette pratique de l'intertextualité. Dans *Soufrières,* les références littéraires sont très nombreuses également. Signalons celle qui apparaît de façon évidente, comme la poésie surréaliste dans *L'Isolé Soleil,* la référence au théâtre avec une œuvre *La danse de la forêt* de Wole Ṣoyinka et avec un lieu de convergences théâtre / musique : le festival d'Avignon.

Échos rimbaldiens

L'Île et une nuit ne déroge pas à la règle qui veut que Maximin « énonce sa parole », entouré des paroles des autres.

> *La vérité des Antilles est fabriquée aussi par les littératures qu'elles ont créées, l'oralité populaire autant que l'écriture individuelle, preuves culturelles de leur existence. Parler d'un arbre ou d'un poème antillais, c'est la même chose. C'est par là qu'est passée une conscience affichée de leur présence au monde.*

Dans notre chapitre sur la géographie, nous soulignerons le va-et-vient entre son roman et des œuvres littéraires qui ont, comme la sienne, concentré leur sujet autour de l'ouragan, en particulier dans le conte de la sixième heure. Pour terminer, ici, notre étude indicative de l'intertextualité, nous voudrions revenir à Rimbaud que Siméa, dans son *Journal*, malmenait et célébrait tout à la fois, en montrant combien, au-delà des citations, il reste une référence profonde de cette parole poétique.

> *Rimbaud est un frère antérieur. Comment pourrait-on dire que Rimbaud est un père ? Mon adolescence baignait dans la poésie, surtout avec Baudelaire. Rimbaud, j'y suis venu par Césaire, le découvrant donc plus tard. Rimbaud était en quête d'un Nous et d'un autre monde que le monde occidental, notre monde où Césaire s'est proposé de l'accueillir.*

Les allusions à Rimbaud sont très intégrées dans *L'Île et une nuit*. On peut déjà être sur la piste lorsqu'on rappelle que le premier titre des textes qui composent les *Illuminations* est, « Après le déluge ». Le verbe du poète tente de créer un monde nouveau par un retour au monde de l'origine. On pense alors au titre du *Bateau Ivre*, poème antérieur de 1871, qui apparaît en transparence dans le conte de la sixième heure de Maximin :

> Et dès lors, je me suis baigné dans le Poème
> De la Mer, infusé d'astres, et lactescent,
> Dévorant des azurs verts ; où, flottaison blême
> Et ravie, un noyé pensif parfois descend

lit-on dans la sixième strophe du poème.

Une Saison en enfer apparaît en citation (en italiques) à la p. 136 :

> « Aurait-elle voulu avoir montré à l'Enfant des poissons d'or et des poissons chantants, des écumes de fleurs sous les cheveux des anses ? L'emmener en bateau afin d'illuminer de merveilleuses images l'idée du déluge en allé, ivre après sa fin du monde »,

passage-écho des strophes 15 et 18 du *Bateau Ivre* :

> J'aurais voulu montrer aux enfants ces dorades
> Du flot bleu, ces poissons d'or, ces poissons chantants.
> – Des écumes de fleurs ont bercé mes dérades
> Et d'ineffables vents m'ont ailé par instants
> [...]
> Or moi, bateau perdu sous les cheveux des anses,
> Jeté par l'ouragan dans l'éther sans oiseau,
> Moi dont les Monitors et les voiliers des Hanses
> N'auraient pas repêché la carcasse ivre d'eau.

Maximin trouve chez Rimbaud la part prépondérante qu'il donne à la nature. Comme l'écrit René Char, cette nature est

> « non statique, peu appréciée pour sa beauté convenue ou ses productions, mais associée au courant du poème où elle intervient avec fréquence comme matière, fond lumineux, force créatrice, support de démarches inspirées ou pessimistes, grâce[12] ».

Il y trouve aussi un aspect initiatique, les poèmes des *Illuminations* donnant un équivalent poétique des expériences possibles pour passer de l'enfance à l'âge adulte : « Je serais bien l'enfant abandonné sur la jetée partie à la haute mer » (p. 158) puis, à la page suivante : « Ce ne peut être que la fin du monde, en avançant. » Comment ne pas reconnaître ici l'Enfant du conte de la sixième heure du cyclone ?

Dans sa notice sur Rimbaud, Louis Forestier rappelle cette phrase écrite par Jean Genet, « Vivre, c'est survivre à un enfant mort »[13]. Elle résonne étrangement familière après ce parcours intertextuel que nous venons de faire de l'enfant assassiné de Siméa, en 1939, à la femme, sa fille, qui refait son chemin vers l'origine pour s'accomplir dans *L'Île et une nuit*. Il est temps alors d'entrer dans la voix du conte pour approfondir cette analyse sur

---

12. Rimbaud, *Poésies – Une Saison en enfer – Illuminations*, Poésie / Gallimard, 1984, Préface de René Char (1956 – citation p. 11), texte et notes de Louis Forestier.
13. Notice de Louis Forestier, *op. cit.*, p. 229.

l'intertextualité et pour mieux comprendre un des enjeux majeurs de la trilogie.

« Un Prince était vexé de ne s'être employé jamais qu'à la perfection des générosités vulgaires. Il prévoyait d'étonnantes révolutions de l'amour, et soupçonnait ses femmes de pouvoir mieux que cette complaisance agrémentée de ciel et de luxe [...] La musique savante manque à notre désir. »

Rimbaud encore, dans « Conte » des *Illuminations*...

4

Voix du conte

Traces de l'origine

La voix du conte est partie essentielle de la parole caraïbe, parole clandestine née dans un univers d'esclaves, donc essentiellement transmise par les mères. Elle s'énonce, loin de l'écoute du maître et appartient au langage des femmes dont on a rappelé la « définition » : tamis de protection dans un contexte d'oppression, graine féconde de futures moissons[1].

Le conte, une appropriation

Que le conte soit considéré comme composante de l'acte créateur, – acte de présence et d'imposition de soi au monde –, aucun lecteur ne peut l'ignorer car *L'Isolé Soleil* y revient par deux fois avec insistance.

---

1. D'autres productions devraient être étudiées pour bien cerner cette « parole » clandestine : les proverbes, les chants. L'un des chants est d'ailleurs cité dans le conte et transmis de génération en génération : Miss Béa, Ti-Carole et grand-père Gabriel. Les chats et les rats de la meringue haïtienne, composée par Georges, peuvent être mis en parallèle avec le conte, « La société des rats ». Cf. *Contes de mort et de vie aux Antilles*, contes recueillis par Joëlle Laurent et Ina Césaire, Paris, Nubia, 1976, p. 138. Plusieurs mentions de contes dans *Le Cahier de Jonathan*, p. 36, par exemple.

La première mention se trouve dans l'exhortation que Marie-Gabriel se fait à elle-même avant de se mettre à écrire :

> « Tu enfonceras tes racines jusqu'à trouver la source des feux de joie : un conte, un poème, une danse, une chanson. Tu ouvriras tes yeux, tes oreilles, ta bouche et tes mains à l'histoire de tes pères, et tu n'omettras pas de faire parler les mères, car elles ont des racines puisqu'elles portent les fruits. » (p. 17.)

Elle reprend ensuite cette exhortation pour Adrien (p. 119). Elle affirme ainsi que si les femmes n'écrivent pas, contrairement aux hommes, l'histoire officielle, elles la vivent intimement puisqu'elles enfantent et qu'elles sont porteuses de culture clandestine. Et elles transmettent ce don de mémoire, d'une Caraïbe à faire resurgir, à tous ceux qui acceptent l'aventure.

La seconde mention intervient dans une affirmation impérative et répétitive. En 1802, Georges – ancêtre de Marie-Gabriel – écrit à son frère Jonathan, alors qu'ils sont tous deux dans les rangs de la résistance auprès de Delgrès et d'Ignace :

> « Nous ne répondrons pas au rappel des maîtres quand ils nous siffleront bientôt. Et nous n'aurons d'oreille que pour les tambours des crapauds et notre regard sera à la hauteur du vol des colibris. » (p. 46.)

Après l'abolition éphémère de l'esclavage, Ti-Carole, arrière-grand-mère de Louis-Gabriel, père de la narratrice, reprend à son compte cette mise en garde et cet appel à la vigilance, en lisant à Ti-Louise, *Le Cahier* de son ancêtre :

> « Que tes yeux se souviennent de la parole : parce que nous sommes une petite île, ils nous considèrent comme des souris en cage affamées de libertés en miettes. Mais nous n'aurons d'oreille que pour les tambours des crapauds et notre regard sera à la hauteur du vol des colibris. » (p. 77.)

Dans ces deux dernières citations, le colibri, personnage symbole du conte, apparaît. Il tisse, dans la généalogie de Marie-

Gabriel, une constante de clandestinité et de résistance. Son ami Adrien a également ses antécédents « clandestins », sa crédibilité : sa mère Siméa (amie de l'autre Siméa) a remis à l'honneur, dans les fêtes, les fleurs tropicales et a cousu pour le carnaval tous les costumes des personnages de contes ; quant à son père,

> « le combat politique n'était pour lui qu'un biais pour la culture, et il passait ses loisirs d'infirmier à s'occuper du Club des jeunes et à composer des poèmes français et des contes créoles contre l'assimilation » (p. 113).

Ce sont deux portraits en hommage aux véritables père et mère du romancier.

Le conte est associé enfin, à la musique et à la langue créole. Adrien note dans son *Cahier d'écritures* :

> « C'est vrai qu'il nous faut parler créole :
> le créole des tambouyeurs
> le créole des tambours-ka. » (p. 112.)

Colibri, crapaud, tambour-ka, créole, parole clandestine : tous ces mots essaimés prennent sens avec l'irruption du conte au centre du roman. Les acteurs du conte antillais s'y trouvent réunis et nous obligent alors à un retour en arrière pour détecter et pister les signes qui avaient été programmés dans la chaîne discursive. Pour mieux apprécier ce travail du conte dans *L'Isolé Soleil*, nous suivrons tout d'abord les traces du « Colibri » du début à la fin puis l'interaction de deux contes : « Colibri » et « Pélamanli-Pélamanlou ».

Sur les traces de colibri

> « *Au bout du petit matin [...]*
> *un grand galop de colibris* » (p. 77.)
> « *Mais quel étrange orgueil tout*
> *soudain m'illumine ?*
> *Vienne le colibri* » (pp. 111-113.)
> Aimé Césaire, *Cahier d'un retour au pays natal*

L'oiseau apparaît dès l'incipit :

> « Un vol de colibris s'est posé en pleine mer pour soigner ses
> ailes brisées au rythme du tambour-ka : Marie-Galante et Désirade,
> Karukéra, Madinina... Îles de liberté brisées à double tour, la clé de
> l'une entre les mains de l'autre. » (p. 7.)

Ainsi, en ouverture, le colibri est marque fondatrice des îles :
l'oiseau blessé s'y ressource, ouvrant aussi le thème de la gémellité
que nous verrons ultérieurement.

À la fin du texte, c'est également le colibri qui « clôt » les voix,
dans le dernier envoi signé « Daniel » :

> « Le conte nous fait signe : le colibri trois fois bel cœur fait
> lever le soleil, parti cabri sans se coucher mouton, la queue coupée
> du crapaud-tambourineur, c'est bonne récolte, promesse d'avenir. »

De par sa position stratégique en texte : début, milieu et fin, le
conte du colibri ne peut être qu'une référence incontournable qui
valorise ce qu'il côtoie ou tout ce qui est assimilé à lui.

Lorsque le conte est lui-même raconté, sa lecture se fait,
enrichie de tout ce qui précède : il est réécriture de l'histoire
antillaise et non ornement « folklorique » d'une production
savante, il est partie du géno-texte et non simple citation.

Aussi devons-nous nous demander ce que « touche » colibri,
tout au long du roman.

Dans la première partie, *Désirades*, la soirée d'anniversaire de
Marie-Gabriel est racontée, entrecoupée de flashs historiques sur

les luttes du Tiers monde. À minuit, la jeune fille, grisée, est montée dans son arbre et est tombée :

> « C'est ainsi que meurent les colibris, cœurs foufous qui éclatent d'une émotion trop grande pour leur petit corps. Et les hommes qui n'ont jamais osé s'envoler n'ont plus qu'à courber la tête pour ramasser les débris d'étoiles filées. » (p. 12.)

La symbolique de la « race » des colibris se construit subrepticement : ceux qui osent s'envoler s'opposent à ceux qui se courbent, comme les rebelles aux esclaves... Le bestiaire du conte s'introduit progressivement. Marie-Gabriel, blessée, est bercée par son grand-père Gabriel et lui chuchote : « Je pleure pour noyer le Poisson-Armé... Pleure, Grand-Père, avec moi... Il faut noyer le Poisson-Armé... » (p. 12.)

Puis, Grand-Père et petite fille à l'unisson :

> « à l'heure du colibri des contes, le cœur de son grand-père Gabriel battait le tambour :
> ... Ingoui, ingoua
> Bambou lé boi, bambou lé zombi
> Ingoui, ingoua
> pour protéger l'enfant du cauchemar de son peuple écrasé par les mille-pattes du Cheval-à-diable, du Bœuf-à-cornes et du Poisson-Armé. » (p. 13.)

Mais ce n'est pas un conte soporifique, c'est bien un conte pour réveiller les « volcans endormis » que sont les Antillais (pp. 23-24).

Nous avons vu précédemment que Georges, dans sa lettre à son frère Jonathan, en 1802, exhortait déjà les siens à prendre le colibri comme référence, symbole de révolte et refus de la résignation. Aussi n'est-on pas surpris de trouver très explicitement cette interprétation dans le quatrain que Louis Delgrès offre à Ti-Carole, avant de mourir, le jour de l'assaut final :

> « Les pieds dans le ravin, les yeux dans le nuage
> La salve d'avenir noircira nos visages :

Les Nègres colibris au cœur de Caliban
Sèmeront le pollen au ventre du volcan.» (p. 63.)

C'est ce quatrain que Louis-Gabriel récitera à Siméa lors de leur première rencontre en 1943 (p. 203). *Le Journal de Siméa*, en 1939, est le récit de son avortement forcé sur un rythme mimant l'écriture surréaliste et le jazz. La référence culturelle explose au moment le plus fort : la sonde de l'avorteuse pénètre Siméa ; la description est inutile, la métaphore suffisant à dire plus que le geste : « c'est le poisson armé dans la gorge du colibri » (p. 130). Le même bestiaire symbolique exprime une nouvelle oppression et une nouvelle résistance.

Siméa n'est pas le seul « colibri » de son journal. Traductrice de poètes et de contes créoles, ceux, en particulier qu'a recueillis Lafcadio Hearn, elle distingue Étienne Léro dans cette remise en cause de leur parole trompeuse :

> « Rimbaud-Léro, poète-colibri-trois-fois-bel-cœur, les surréels poissons armés ont crevé ton tambour à petits coups automatiques. J'ai vu trois fois le mot cœur dans toute ta poésie, et c'est le cœur-cinéma, le cœur-simulacre, et le cœur-à-louer.» (pp. 147-148.)

Cette valorisation d'Etienne Léro, – dans sa théorie esthétique révolutionnaire plus que dans sa pratique poétique –, est une manière de prendre position par rapport aux luttes politico-culturelles qui ont agité les groupes d'intellectuels afro-antillais dans les années trente à Paris. Comme l'écrit Bernard Mouralis :

> « *Légitime Défense* a défini d'une façon particulièrement nette le rapport nécessaire entre le littéraire et le politique. [...] Cela lui a permis de préciser avec cohérence des conditions permettant la naissance d'une nouvelle littérature. Le développement du courant de la Négritude est apparu à certains critiques comme une réaction aux thèses de *Légitime Défense* et une infirmation de celles-ci : il serait plus juste de dire que *Légitime Défense* a été, dès le départ, une des formes qu'allait prendre la littérature négro-africaine, celle qui, justement, refusant un "enracinement" trop spécifiquement culturel, présent par exemple chez Senghor, Birago Diop,

B. Dadié, a mis au premier plan la critique et l'esprit de révolte et à laquelle il faut rattacher notamment Césaire, Fanon, Marcien Towa, Mongo Beti[2]. »

De retour au pays et éducatrice des petits enfants fous, Siméa utilise les contes créoles pour les aider à démêler l'enchevêtrement de leurs peurs et de leurs angoisses, renouvelant, à sa manière, la mission éducatrice de la câpresse Anaïs qui enseignait aux enfants des nègres-marrons de 1802, « la faim, la peur et l'amour » et leur apprenait « la danse, le chant et la poésie », substantifs que la fin du roman explicite, « l'amour présent, la faim d'avenir, la peur à dépasser » (p. 310).

Correspondante de la revue *Tropiques*, fondée par Suzanne et Aimé Césaire, elle continue ses traductions par celles des contes créoles : cette activité est mentionnée plusieurs fois entre les pages 178 et 181. Dans *L'Air de la Mère*, le conte nous est enfin raconté, se détachant du texte par sa composition en italiques ; il apparaît comme une illustration de la lettre écrite par Siméa aux Césaire ;

> « Nous recréerons la poésie antillaise, blues taillé dans la pierre, notre cri de galet policé par la mer. Oui, faisons des diamants de nos injures. Collons au sol nos oreilles pour écouter passer demain. » (p. 174.)

Illustration puisque « Trois fois bel conte » est donné tout de suite après. Le conte est partie de la recréation de la poésie antillaise qui est dans la continuité des écrits d'Étienne Léro-colibri.

Colibri possède le tambour-ka que Bon Dieu convoite car c'est le seul moyen de faire travailler les nègres. Il va donc envoyer trois

---

2.   É. Léro est souvent « oublié », sans doute parce qu'il était communiste. Si on le cite, c'est toujours avec le même extrait d'un article et non avec ses poèmes. Cette « habitude » est fermement ébranlée par B. Mouralis qui montre toute l'importance de René Ménil et Étienne Léro dans la possibilité du développement d'une littérature originale non à partir d'une conscience de race mais d'une conscience de classe (*cf.* p. 236 *et sq.* de *Littérature et Développement*, Paris, Silex, 1984). Il est significatif que Maximin lui donne une telle importance dans son roman.

émissaires pour s'emparer de ce symbole de pouvoir. Vaillamment, Colibri, aidé dans sa course par le crapaud qui bat le tambour-ka, combat ses adversaires, le cheval, le bœuf : il leur crève les yeux mais, à chaque fois, lui-même perd de sa force et de ses plumes. Quand le troisième adversaire, redoutable, arrive, il a vite fait de venir à bout du rebelle : Poisson-Armé tue Colibri et rapporte le tambour-ka à Bon-Dieu.

Dans le roman, le conte est immédiatement mis en correspondance avec un personnage, la petite Angela, totalement perturbée psychologiquement depuis qu'elle a vu la barque où son père était monté pour partir en dissidence, être engloutie par un sous-marin allemand qui devient Poisson-Armé. Une fois de plus, ce qui est révolte et résistance à l'ordre établi est « colibri ».

Dans le *Journal de dissidence* de Toussaint (ami de Louis-Gabriel), les allusions au colibri reviennent avec insistance, l'interprétation politique du conte y est évidente. Le colibri prend alors la marque du pluriel pour signifier la lutte collective (pp. 224-227). L'ensemble de la scène du carnaval, grâce aux déguisements qui reproduisent les personnages des contes créoles, se fait autour de colibri ; Toussaint est touché à mort :

> « Oui, hier la nuit a bien existé, hier soir est dans vos cœurs, vos mains tièdes, vos jambes lourdes, votre silence, vos yeux, l'amour et la révolte, et toujours cette tendresse qui défie tout ressentiment et toute vengeance, et qui ranime vos cœurs battant cette fois au rythme de Toussaint-foufou, trois fois bel-cœur, battu à mort, bien sûr il faudrait encore reparler du colibri. » (p. 260.)

Et c'est encore du colibri qu'on reparlera lors de l'accouchement de Siméa qui meurt en donnant la vie à Marie-Gabriel. Le récit de sa dernière lutte est accompagné par le conte :

> « ... Beau sang giclé. [...] Le curetage mal fini de Paris est cause de l'infection. L'oiseau aux plumes jadis plus belles que le passé exige le compte de ses plumes dispersées. » (p. 272.)

La chaîne des colibris ne s'interrompt jamais.

Avant de poursuivre, il nous semble utile de rappeler brièvement la symbolique admise de ces différents acteurs du conte
telle qu'elle a été proposée par Joëlle Laurent et Ina Césaire[3] :

BON-DIEU ne représente pas toujours le Dieu du ciel, encore qu'il
habite dans une belle plantation, sur un morne élevé. Il est l'image
du béké, ce Blanc, propriétaire terrien et souvent paternaliste.

À l'opposé, CRAPAUD, pauvre mais possesseur du tambour,
symbole de la culture et de la liberté, est la représentation du
paysan antillais. Il est, avec COLIBRI, le seul à s'opposer
ouvertement à BON-DIEU. Dans un vieux conte fort connu, il refuse
de prêter son tambour à BON-DIEU qui veut l'utiliser « pour faire
travailler les nègres ».

COLIBRI, quant à lui est, comme CRAPAUD, avide de liberté et
contestataire : mais il se situe à un niveau social moins défavorisé
que celui de CRAPAUD, son serviteur-ami.

BŒUF et CHEVAL, forts mais peu intelligents, sont les serviteurs
obéissants de BON-DIEU.

POISSON-ARMÉ est le symbole de la répression brutale. C'est un
tueur, également sous les ordres de BON-DIEU.

On voit que l'originalité du travail de Maximin ne vient pas de
la recherche d'un conte rare ou d'une simple transposition mais de
la dissémination d'une symbolique contique dans le roman, dans
des situations ou des allusions culturelles très éloignées les unes
des autres et qui se trouvent, par ce clin d'œil appuyé, fondues
dans le creuset de la culture caraïbe. Se joue le drame de la révolte
vaincue malgré le cœur et le courage ainsi que la question
obsédante que pose cette lutte : le suicide et l'héroïsme resteront-ils
toujours les seules valeurs des Antillais ?

« Ta mort héroïque forcera bien sûr le souvenir des siècles,
mais elle fera oublier la lutte acharnée des peuples vivants [...]
quand l'homme avance seul les bras lourds de sa générosité, son

---

3. Joëlle Laurent et Ina Césaire, *op. cit.*, p. 13. Colibri et crapaud sont aussi
associés, chez Maximin, à un autre couple symbolique : Ariel et Caliban.
Cf. en annexe le poème inédit, « Caliban crapaud » et « Ariel colibri ».

frère doit-il veiller à faire vers lui la moitié du chemin les yeux fermés par la confiance. Vous étiez le lit et nous étions le fleuve. Et nous ne nous sommes rejoints qu'à l'estuaire de la mort... » (p. 59.)

C'est alors qu'intervient le second conte, nouvelle marque du travail d'écriture originale de ce roman.

De Colibri à Pélamanli-Pélamanlou

La petite Angela de l'asile (1943) fait bien partie, comme nous l'avons vu, de la lignée des Nègres-colibris. C'est un autre conte qui prépare au dénouement de son histoire (pp. 179 et 182). Le conte la remet sur le chemin de la parole, l'obligeant à délaisser le monde du silence où elle s'était enfermée.

Colibri combat les « mercenaires » de Bon-Dieu et Pélamanlou, « le petit garçon à la flûte » tente de résister à la Bête-à-Sept-Têtes, aidé de sa musique. Dans la tradition populaire, comme Colibri, il est vaincu malgré son héroïsme. Mais le roman donne un autre dénouement au conte. Louis-Gabriel le réinvente (p. 216) : musicien, il a le pouvoir de transformer le réel et de prédire le dynamisme de l'avenir :

> « – Raconté Pélamanlou ! Raconté Pélamanli !
> Alors sans montrer plus d'étonnement que devant une surprise attendue, se confiant à la logique des souvenirs des contes de sa mère, Louis-Gabriel commence à lui raconter son histoire en inventant au fur et à mesure ses variantes avec autant de conviction que s'il avait déjà rabâché cent fois la tragique aventure de l'enfant à la flûte, Pélamanlou le fils unique, magiquement dédoublé pour le bonheur d'un épilogue rassurant. »

Louis-Gabriel transforme le fils unique en jumeaux qui se relaient pour faire danser la Bête jusqu'à épuisement : « à la septième heure de la nuit », elle expire enfin, vomissant tous les enfants qu'elle avait avalés. Ils ont été délivrés par « un être assez généreux pour porter deux cœurs dans son seul corps... » (p. 217). C'est dire à Angela que le combat mais surtout la victoire sont possibles aussi impressionnant que soit l'ennemi.

C'est également renvoyer le lecteur au décryptage du thème de la gémellité. Car pour vaincre la Bête, il faut être deux, il faut s'entraider. La victoire est donc possible pour ceux qui acceptent la solidarité, pour tous ceux qui ont du « cœur », dans le double sens d'amour et de courage.

Le thème de la gémellité, déjà souligné, prend sens véritablement grâce au conte. On se souvient de l'incipit : « îles de liberté brisées à double tour, la clé de l'une entre les mains de l'autre »... La gémellité devient symbole d'une lutte victorieuse dont le passé et le présent posent les jalons : Georges / Jonathan, fils de Miss Béa mais aussi frères de Soledad – les deux Siméa, mères des « jumeaux » d'aujourd'hui, Marie-Gabriel / Adrien – Louis-Gabriel / Siméa qui endossent très symboliquement, pour le carnaval, les costumes de Pierrot-jumeaux – deux (et même trois avec Angela Davis) Angela – deux Élisa... mais aussi Delgrès et Étienne Léro, poètes et résistants. Colibri lui-même se multiplie en passant du singulier au pluriel.

Cette gémellité, si active dans l'écriture, est le symbole des deux îles, impuissantes désunies. À Toussaint et Louis-Gabriel qui comparent les mérites respectifs de leur île, Siméa ordonne :

> « Tous les deux, arrêtez d'être comparaison comme jumeaux séparés [...] Martinique, Guadeloupe, pour moi, c'est même bitin, même pareil ! » (p. 241.)

On comprend mieux alors l'écriture du patchwork final (pp. 305-307), une fois Colibri métamorphosé en Pélamanli-Pélamanlou : le deuxième conte croise les histoires des deux couples jumeaux Georges et Jonathan (fils de Miss Béa et frères de Soledad). Ainsi la gémellité représenterait l'union et la solidarité, ces frères à réinventer pour la fraternité (p. 308). La relève se fait de naissance en renaissance, du fond de l'esclavage à 1802, de 1802 à 1962 en une lutte contre tout ce qui asservit et détruit la liberté.

On voit ainsi comment un symbole fort de l'imaginaire antillais – et plus largement d'Amérique latine[4] – court et se propage dans le texte, valorisant personnages de fiction et personnages référentiels, s'investissant dans un nouveau conte, lui-même transformé pour construire une voie de solidarité. Le texte propose, entre ses lignes, une généalogie des Nègres-colibris : ceux du passé ont échoué, Poisson-Armé est toujours là, mais ils ont maintenu vivante la flamme du défi et permis qu'émergent d'autres formes de lutte dans le réel et dans l'imaginaire[5].

Sur le plan symbolique, le colibri est le point de jonction entre une parole qui essaie de s'énoncer à partir et contre la culture écrite – le quatrain de Delgrès, les traductions que Siméa fait des contes de Lafcadio Hearn – et la tradition populaire orale transmise par Miss Béa, Ti-Carole et Ti-Louise, oralité déjà transcrite à l'écrit.

---

4. Le symbole du colibri est, bien entendu, présent dans *Le Cahier d'un retour au pays natal* d'Aimé Césaire (rééd. Présence Africaine, 1979), toujours comme symbole positif ; dans *Pluie et vent sur Télumée Miracle* (Le Seuil, 1972), l'aïeule de Télumée, la négresse Toussine, « au temps de sa prospérité et de son bonheur, a planté à côté de sa case, un oranger à colibris, élément de ce qui suffit à combler un cœur de femme » (p. 22) ; dans *La Chasse au Racoon* de Max Jeanne (Karthala, 1980), on trouve également une allusion au colibri et dans *Chronique des sept misères* (Gallimard, 1986) de Patrick Chamoiseau, le colibri revient avec insistance. Toutefois, son insertion n'atteint jamais l'intensité qui est la sienne dans la trilogie de Maximin, intensité due à la multiplication des sens dont il est la matrice. On est bien là en présence d'une intégration dynamique de la culture du passé et non devant une citation déférente ou ornementale.
    Signalons aussi le roman de Severo Sarduy, publié à Barcelone en 1984 (et traduit en français en 1986) qui a pour titre *Colibri*, surnom symbolique donné au dernier venu des chasseurs dans la région d'un estuaire sud-américain. L'oiseau fuit sans cesse loin des désirs qui veulent l'emprisonner. « Sous la générosité de l'écriture court la parabole de l'oiseau qui, mis en cage, ne voulait plus se nourrir » dit la présentation.
    Cf. aussi le *Dictionnaire des symboles* de Chevalier et Gherbrant qui étudie cette symbolique chez les Aztèques, en Arizona et en Colombie, dans différentes civilisations indiennes.
5. La lignée des colibris et la symbolique de la gémellité.
    Nous qualifions de « colibri » tous ceux qui le sont explicitement en texte et de P.P. (Pélamanli-Pélamanlou) ceux dont le texte construit cette qualification comme possible.

C'est encore une des richesses de *L'Isolé Soleil* que cette
« confusion » de l'oralité et de l'écriture, non plus concurrentielles
mais complémentaires.

Colibri, toujours : le conte du possible

Le recours à la symbolique du colibri se retrouve dans
Soufrières, différemment. Plus sobrement d'abord car le matériau
de base ayant été programmé dans le roman précédent, l'allusion
est suffisante pour mettre en relief certains énoncés par une simple
mention de l'oiseau magique. Plus « géographiquement » qu'historiquement aussi parce que le second roman est un véritable hymne
à la nature insulaire : les personnages étant dans leur décor naturel,
le colibri apparaît comme un oiseau, tout simplement.

Dans la nuit, Marie-Gabriel a été réveillée par un long trémor
et, tremblante – « le tremblement de terre catastrophie nos pieds »
(*L'Île et une nuit*, p. 14) –, est sortie, son cahier-manuscrit contre
elle : « tu cueilles un hibiscus fermé sur lequel tu souffles comme
si tu devançais le soleil » (p. 11). L'éruption phréatique zèbre le
ciel et obscurcit encore le paysage sous les yeux de la jeune femme
éloignée de ces communes de la côte sud :

> « De là-haut, l'île a l'air d'une fourmilière étouffée sous une
> pelletée de cendre tiède. Les lucioles relaient les étoiles hors jeu
> pour baliser les sentiers praticables. Les fourmis noires font
> vitesse, plus légères que les oiseaux. Un colibri blessé vient se
> réfugier dans l'hibiscus entre les pages de ton cahier. » (p. 12.)

On voit bien, dans cette citation, le passage sans transition de la
nature à son symbole : Marie-Gabriel-Colibri doit retourner à
l'écriture pour comprendre toujours plus essentiellement l'histoire
et la géographie de son île. Elle est prête :

> « Ton cahier s'entrouvre, le colibri s'envole dans un sourire,
> libéré par l'hibiscus épanoui au soleil. Tant qu'il monte dans le

ciel, son ombre s'enfonce sous le miroir de l'eau à la rencontre du poisson bleu. » (p. 12.)

Cette confusion création-nature permet de poursuivre en métaphore filée ce long passage qui clôt l'envoi de *Soufrières* : le corps de Marie-Gabriel accepte de placer l'île au cœur de l'être pour que, de cette fusion, naisse l'exploration de l'espace : la géographie sera ici plus présente que l'histoire. L'ouverture du roman offre la carte postale-type : le colibri, le bec planté dans l'hibiscus (qui est bien, par ailleurs, une réalité de la nature tropicale). Cette image se retrouve plusieurs fois dans le roman. Mais, contrairement à l'usage de l'écriture exotique, elle n'est pas offerte isolée et savourée comme cliché de la culture antillaise : elle est mise en situation dans la vie des personnages, ce qui transforme son traitement romanesque.

Le 23 mai au matin, Marie-Gabriel attend aux Flamboyants l'arrivée d'Antoine, assise par terre sous la galerie : « En contrebas de la pelouse, un colibri vient faire le foufou auprès du bouquet d'hibiscus, sans même être dérangé par la voiture qui grimpe. » (p. 21.) L'image idyllique de la rencontre amoureuse reçoit, peu après, en surimpression, l'image symbolique à laquelle *L'Isolé Soleil* nous a plus habitués. Marie-Gabriel vient d'évoquer l'écriture qui l'a tenu éveillée une partie de la nuit et Antoine songe qu'il a vu

> « à l'œuvre la douleur du dévoilement et le plaisir de l'écriture pour son amie, partie, avec la seule carte de la géographie de son corps, à la rencontre de ses Antilles, et arrivée assez profond en elles et en soi pour resurgir avec pour l'avenir à la fois une magnifique et terrible cage à peindre et l'oiseau des îles à délivrer » (p. 22).

Beauté et familiarité de la nature tropicale encore pour Marie-Gabriel et Inès, le 16 août :

> « Presque chaque matin, en effet, un colibri venait faire son fou et danser son ballet pour les hibiscus [...] je crois que c'est un

signe de belle journée lorsque les colibris prennent si tôt le relais des pipirites... » (p. 179.)

La Soufrière a mis en garde, dans sa « rumeur », contre l'éclat trompeur de la nature tropicale au moment où Antoine, Inès et les lycéens ont poursuivi la répétition sans même se rendre compte de l'éruption :

> « Mais dans mon île trop neuve sans cactus ni scorpions, il arrive qu'il fasse trop beau pour y voir et que les poètes jettent alors à la bouche des cyclones et des volcans les messages des fidèles colibris. » (p. 152.)

Peut-on vraiment continuer à être Colibri, se demande Adrien écrivant dans l'avion (en vol...) qui le ramène aux Antilles, face à l'éruption du volcan ? Il formule alors sa série de questions, sur la fonction du poète face aux cataclysmes, dans les termes des contes :

> « Alors quel oiseau-zombi pourrait survivre à un pareil désastre et oser encore exiger de l'île le compte de ses plumes dispersées ? Où Colibri trouverait-il encore un tambour pour rythmer son courage contre le Poisson armé, alors même que les troncs d'arbre auraient coulé, solidaires de leurs racines ? Que faire d'une île toute neuve, nettoyée de son déluge, mais sans animaux pour ses contes ni rêves pour les humains ? Comment repartir à la conquête du paysage natal sans l'espoir de trouver une femme restée debout et libre au petit matin ? Comment explorer la mer en solitaire sans l'espoir de retrouver un jour non loin la calebasse de l'enfant-Bleu ? » (p. 187.)

L'angoisse, sensible dans ces questions, souligne toute la difficulté de l'acceptation d'une géographie dévastatrice et/ou paradisiaque à laquelle il faut faire confiance, malgré tout, car on lui appartient. Et c'est la conclusion d'Adrien : « Oui, n'y aurait-il qu'un colibri qui vole tout bas et qu'une calebasse d'eau claire qui nage tout en haut, et ce serait assez... »

Plus loin, c'est aux Flamboyants que Marie-Gabriel écrit à Élisa, après sa crise devant les gendarmes, « comme à une amie-sœur, presque son égale » (p. 112) et c'est Élisa qui est un relais-colibri et une consommatrice de conte. Lorsqu'elle se retrouve aux Flamboyants le dernier matin, elle a la même attente que Marie-Gabriel :

> « Élisa ressort de la chambre les yeux rougis. Trop tard : le colibri a déjà posé le baiser du soleil sur les hibiscus de l'allée. D'habitude, elle surveille plus tôt la venue de l'oiseau pour voir sur quelle fleur il va s'attarder afin d'y déposer son message. Son regard attristé parcourt la pelouse en quête du colibri envolé. » (pp. 244-245.)

Un peu plus tard, assise dans la berceuse, elle fredonne la chanson de Pélamanli-Pélamanlou (p. 256). Répétant la thérapie de sa mère, Marie-Gabriel soigne Élisa avec les contes : elle lui raconte la légende guatémaltèque des quatre soleils et des treize étoiles-poussins pour conjurer séismes et éruptions (pp. 234-235) ; elle lui confie le magnétophone. Élisa y enregistre un conte puis s'écoute, celui « des deux jumeaux, enfants de personne, perdus dans la forêt et la boue, sauvés par le crapaud qui leur dit "LE MOT" » (pp. 258-259). Mais surtout, Marie-Gabriel lui offre la parabole de sa survie dans le langage des contes en lui racontant son propre sauvetage après ses dix sept ans :

> « Sur mon passage, j'ai constaté que les racines trouvaient sous la terre les portes des clés que les branches cherchaient dans l'air. J'ai ramassé une calebasse vieille comme ta timbale, emplie d'un vieux fond d'eau croupie que mes larmes ont bien su laver. Des caravanes de colibris m'ont entourée pour se désaltérer dans mon petit trou d'eau qui se remplissait au fur et à mesure qu'ils buvaient. » (p. 115.)

Il est encore question de grand oiseau, de source, de serpents de terre et de poissons d'or : on ne parle le langage contique que pour qui sait décoder ses signes.

Il n'est pas étonnant alors, qu'en fin de roman, le cahier-manuscrit s'adresse à Élisa comme à une héroïne de conte :

> « Écoute, Belle-sans-connaître, si tu reviens, même si la cour dort, j'aurai le pouvoir de commander au poisson-Bleu de retrouver ta bague perdue au fond de la mer, et les colibris, plus malins qu'un roi, sauront te construire en un seul jour un plus beau château, bien visible du manguier : et c'est depuis ce temps-là que nous serons heureux.
>
> Élisa, l'eau ne remonte pas les mornes, mais j'ai toujours la soif de t'écouter demain. »

Alors, sur le chemin de la guérison par les sentiers des contes, elle se cale « entre ciel et terre » et chante « une très douce comptine créole », note finale du roman : elle est désormais prête à vivre la même folie « fructueuse » que Marie-Gabriel : « composer un avenir à notre île aux trésors de feu en volcans, d'air en cyclones, de terre en tremblement et d'eau en raz-de-marée » (p. 112).

Que deviennent le vol du colibri et la parole du conte dans *L'Île et une nuit* ?

Nous avons vu précédemment que les références culturelles étaient en liaison étroite avec l'histoire ou la géographie de l'île. Or, dans le troisième roman, le sujet traité est le cyclone durant lequel tout disparaît, tout se tait. « Les oiseaux ont disparu », note la narration à la p. 16. Par voie de conséquence, la référence au colibri disparaît, elle aussi. Elle ne fait une brève apparition que dans deux usages symboliques : une première fois lorsque Marie-Gabriel exprime à Adrien sa soif d'amour non assouvie : « Partout ici, des hommes-colibris picorent le désir sans se poser, et des femmes-fleurs sensitives referment leur porte avec l'enfant, pour ne pas mesurer leur avenir à l'aune d'un vol d'oiseau » (p. 58), métaphore antillaise de « l'insoutenable légèreté de l'être » ... La seconde fois, c'est dans l'auto-citation de la p. 84, lorsque, plantée devant le poster de « La jungle » de W. Lam, Marie-Gabriel reprend le commentaire du cadeau qui accompagnait l'envoi d'Adrien en 1976 (*Soufrières*, p. 70).

Le silence et la solitude pour la survie, au-delà du cyclone, excluent l'oiseau et son miroitement. La première heure avertissait aussi que ce serait « une veillée sans contes ni chansons » (p. 12). Une première distorsion à cette affirmation est due à l'appel de Siméa qui demande, au téléphone, à sa marraine Marie-Gabriel de lui raconter le conte des treize poussins, déjà raconté à Élisa dans *Soufrières*, « une histoire uniquement réservée aux soirs de doutes et de renaissances ». La seconde distorsion est plus conséquente : l'œil du cyclone favorisant la plongée dans la mémoire de l'origine, la voie s'ouvre du retour au conte quand, récupérant sa sérénité, « comme si elle s'était renforcée d'un deuxième cœur en son corps », Marie-Gabriel décide de sortir pour renforcer l'habitation avant le second assaut de l'ouragan. Plus question alors de langage scientifique : elle devient Pélamanlou affrontant la Bête-à-Sept-Têtes qui fait le compte des plumes dispersées, soigne la queue du crapaud, sauve l'Enfant et le Poisson-Bleu, se porte au secours de Nanie-Rosette, protège les fourmis car « la vérité » est faite de « légendes à vérifier » (p. 86).

Pour affronter la Bête-cyclone, Marie-Gabriel se pare comme une princesse de conte avec sept attributs à sa parure, autant de talismans pour l'épreuve de sortie : un serre-tête, des créoles aux oreilles, un collier grain d'or, une broche, une ceinture dorée, la bague d'esclave et le bracelet tortue à tête de bélier. Rusée comme une héroïne de conte, elle se glisse à l'extérieur en déclouant le volet d'une fenêtre pour « tromper ainsi la Bête-à-Sept-Têtes, peut-être embusquée derrière sa seule porte de sortie » (p. 87).

À cet instant d'accalmie – au centre du roman – l'apparat des contes sert d'illustration au regain de résistance de la jeune femme. Mais il faudra encore l'espoir de vie de la musique à la cinquième heure pour que s'invente le conte de la vie acceptée, le conte de

l'origine en tressage de paroles imaginées, de paroles reprises des
« livres-tisons pour éclairer le soir » (p. 35[6]).

Réfugiée dans la salle de bains, Marie-Gabriel fait couler l'eau
dans la baignoire :

> « Belle et nue [...]
> d'un mouvement très lent, tu te laisses couler entièrement sous
> l'eau jusqu'à la tête. Submergée...
> Hors de toute portée... » (p. 124.)

Écoutons le conte réécrit plutôt qu'analysé, en ayant à l'esprit le
Journal de Siméa, L'Air de la mère dans *L'Isolé Soleil* et la lettre à
Élisa dans *Soufrières*[7] :

> Le cyclone avait fait ses ravages, aidé par la mer. Toute l'île
> était dévastée, roussie, avec une famine d'espoir et une épidémie
> de détresse à l'horizon pour les survivants calfeutrés. La maison
> des Flamboyants commence à osciller dangereusement ; le
> cyclone écrase le refuge d'une enfance noyée. Elle s'effondre, en
> partie, dans un cri épouvantable.
>
> Alors la Bête-à-Sept-Têtes se dresse autour de la Maison
> écrasée pour guetter la sortie de l'Enfant hors de son refuge. Le
> manguier n'est plus qu'une protection dérisoire et aucun enfant
> jumeau ne peut lui prêter main forte. Aussi l'Enfant ne s'engage-t-
> elle pas dans le combat inégal avec la Bête car elle a découvert, ce
> soir, le merveilleux pouvoir de tendresse de la Mer. À vingt mille
> lieues sous le cyclone, elle peut voir ce qu'elle n'a jamais su voir.
> Elle continue à tenir son cahier d'écriture et à envoyer des
> messages. Elle est récompensée de sa ténacité puisque émerge, en
> pleine mer, une Femme morte avec un enfant en vie. Apprenant à
> remonter le courant, l'Enfant navigue entre les récifs et les épaves

---

6.   De nombreuses citations sont insérées, reprises à différents écrivains. Ce
      travail citationnel, nous l'avons mis en évidence et nous n'y revenons pas.
7.   Les deux premiers, parties de *L'Isolé Soleil*, et la troisième aux pages 115-
      116 de *Soufrières*.
      Siméa, Marie-Gabriel, Grand-père Gabriel, les Flamboyants, l'archipel de la
      Caraïbe. Les citations intégrées au conte réécrit, sans guillemets, sont prises
      dans les pages 130-147.

sans respirer jusqu'à ce que naisse son cœur d'Enfant sur une plage au bout du petit matin.

La Maison à l'agonie aurait voulu l'accompagner encore pour lui faire découvrir les secrets des racines et des fruits. Heureusement la Morte a su faire de son corps un bateau de survie pour l'Enfant. La petite fille y trouve tout ce qui lui est nécessaire : un piano, un bracelet, un cahier d'écriture et un livre dans un cartable, une photo et une glace pour voir passer le temps... sans oublier le goûter et une calebasse d'eau claire... La Morte dépose l'Enfant sur une grande plage, lui passant au poignet un bracelet avant de retourner dans la mer, son corps à jamais visible pour sa fille sauvée.

L'Enfant joue à la marelle et rencontre deux enfants assassinés de toute éternité qui recomposent ainsi le Ciel et la Terre. Ils l'encouragent : « le temps enterre les morts mais garde ses clés pour les rêves, l'espoir et le jeu des enfants... » Mais l'Enfant dérive, ne pouvant répondre à toutes leurs questions. Elle déambule sous une jetée et assiste à une scène d'amour entre deux enfants, brutalement séparés par un plus grand qui décapite le premier amour en éclats d'archipel, interposant le labyrinthe des nuages noirs entre l'un et les deux.

C'est alors que, dans le désert de la plage, apparaît un Vieillard seul, calme et beau. Il a construit son arche-canot pour sauver les hommes du déluge. Beaucoup ne l'ont pas cru et sont partis se battre contre la Bête qui les a chargés et les a dispersés comme feuilles mortes. L'Enfant rejoint le Vieillard sur le toit de son canot énorme qui devient une Île, secouée, ballottée mais bien ancrée par des amarres retenues par le fond de la mer. Six autres Vieillards ont pris aussi la précaution du refuge du bateau : ils forment à eux tous un véritable archipel rescapé en pleine mer de la Guerre du Temps des Continents perdus.

L'Enfant voudrait toujours connaître l'origine de la Mer. Le Vieillard lui explique comment Dieu a créé les quatre éléments et l'Homme en interdépendance : le Ciel d'abord puis l'Homme, puis la Terre, le Feu, la Mer... Chacun soutenant l'autre.

– Mais alors, qui donc soutient la mer ? demande l'Enfant.

Et le Vieillard-presque-Muet lui répond qu'il ne peut le lui apprendre car, avec la Mer, ont été créées l'Obscurité et la Limite des Questions.

Et sur son cahier, il lui écrit un dernier message : « Je reste sur mes deux pieds, et je sais que l'homme n'est pas une statue de sel que dissolvent les pluies. »

La vague enroule alors l'Enfant dans son écharpe pour la déposer chez elle, à l'heure où la Bête s'écroule morte sans avoir pu l'accrocher.

C'est ainsi que s'achève le conte de l'initiation d'une femme par l'enfant qu'elle avait été.

Ainsi la trilogie a accompli la trajectoire complète qui, du don de mémoire transmis par le conte, parvient à l'aboutissement de la création, l'écriture d'un conte d'aujourd'hui, conte d'initiation où chaque pied de la Bête : cyclone, séisme, déluge et éruption, sont autant d'épreuves imposées à l'héroïne pour habiter en plénitude son identité.

Il faut bien alors que la trilogie s'achève : « l'épilogue du roman d'amour nous fait le cadeau précieux d'une solitude mieux épanouie » (p. 157). Lorsque Marie-Gabriel se glisse dans la voiture pour une dernière protection contre le cyclone et qu'elle écoute la musique, elle repense au colibri : tout ensemble, à sa mort, à sa fragilité et à sa résistance :

> « Elle entendait déjà sourdre la résistance de l'île au travail sous le masque du désastre en cours. Tout comme la beauté des rythmes fondateurs était cachée sous le masque de la plus grande laideur du crapaud-tambourineur. Tout comme l'énergie des résistances et des envols sous le masque fragile et délicat du colibri trois fois bel cœur. » (p. 172.)

Pourtant, une fois achevé le parcours du colibri, le texte rebondit vers une autre mémoire des mythes et des légendes sur laquelle la présentation de couverture ne fait pas de mystère, en nommant Marie-Gabriel, « Antillaise Shéhérazade »...

Shéhérazade et Marie-Gabriel

Le jeu autour de l'androgyne apparaît dans les contes les plus essentiels des *Mille et Une Nuits*[8]. Dans le roman de D. Maximin, il est inscrit dans le prénom de son héroïne qui conjoint féminin et masculin. Deux symboles viennent aussi rencontrer la symbolique des *Nuits* : ceux de la lune et de la féminité en connivence. L'espace de la nuit est commun aux deux œuvres. Deux signes para-textuels nous mettent sur la voie des contes arabes : le titre et la présentation de la quatrième de couverture, deux signes qui orientent nécessairement le lecteur dans le parcours qu'il entreprend...

L'Île et une nuit, joue, de façon évidente, avec le célèbre titre ; le singulier, se substituant au pluriel, n'enlève rien à la notion d'infini ou de totalité ouverte au rebondissement narratif qu'il implique. Le mot choisi, l'île, bien ancré dans l'imaginaire et le réel guadeloupéen joue même, à son insu, avec le mot « nuit » en arabe. Layla et l'île sonnent étrangement sœurs. L'île est aussi l'espace des *Nuits*. Par ailleurs, la quatrième de couverture affirme :

> « Il va falloir résister toute la nuit aux éléments déchaînés.
> Marie-Gabriel veille, seule dans la maison barricadée des Flamboyants, la "maison-mère". Antillaise Shéhérazade, elle parle pour apprivoiser la peur, trouver force et courage... »

La qualification de l'héroïne est explicite. Ce que le romancier retient du geste de la sultane conteuse est sa capacité à conjurer la peur par le verbe, à résister... À l'instar de Shéhérazade, Marie-Gabriel ne serait-elle pas, elle aussi, pour le réel rêvé-imaginé dont elle témoigne, « gardienne du lieu », l'espace où la loi et le désir coexistent, entrent en conflit et se contredisent[9] sans s'exclure ni triompher l'un de l'autre ?

---

8. Référence à l'androgyne dans *Les Mille et Une Nuits ou la parole prisonnière*, à propos du conte de Qamar et Budur. *In* J.E. Bencheik, Gallimard, 1988.

9. *La parole prisonnière, op. cit.*, p. 36.

Mise sur cette voie par notre lecture des romans antérieurs de Daniel Maximin et par l'analyse de l'enjeu profond des contes proposée par Jamel Eddine Bencheikh,[10] nous partons à la recherche des *Nuits* dans le roman... sans les trouver !

La beauté et la nudité du corps de la femme, le souffle de désir qui accompagne son entrée dans l'eau (p. 124) ouvrent bien la voie au conte de la sixième heure[11] et pourraient être rapprochés d'éléments thématiques fréquents dans *Les Nuits*. Mais cela n'a qu'un intérêt anecdotique et un parfum certain d'extrapolation.

Introduits ensuite dans la réalité du cataclysme, « rasé, sectionné, fracassé, inondé, éclaté »... nous y sommes submergés par la destruction, – le cyclone prenant la figure de la Bête-à-Sept Têtes du conte antillais –, mais aussi par le merveilleux de cette force adverse, à terme triomphante, qui préserve l'enfant de la mort : cette force adverse prend tour à tour l'apparence de la mer, le visage de la mère et du vieillard, le rythme de la vague. Elle dépose l'Enfant sur la plage, une fois le cyclone vaincu. Ainsi nous sommes bien dans l'univers du conte, du merveilleux et du fantastique. Les allusions à Rimbaud font aussi chanter le merveilleux des contes... « un jardin d'eau marine fleuri de poissons volants » (p. 137), l'allusion aux naufragés, aux vieillards, au bijou d'ébène. La sixième heure nous donne à lire un conte d'initiation à la vie. Mais de *Mille et Une Nuits*... point !

Elles apparaissent dans les pages qui composent la septième heure, subrepticement : quelques allusions qui pourraient passer inaperçues si nous n'étions en alerte. La voix narrative s'adressant à son personnage lui déclare : « Ta fin est certaine. Mais comme à la dixième nuit, choisis seulement de quelle sorte tu veux que je te fasse finir. » (p. 152.) Allusion encore : « Oui, déjà l'aube se relève, avec une robe neuve satinée de soleil, repassée petit à petit des chiffonnages de la nuit. » (p. 156.) Plus loin, comparant le

---

10. *Les Mille et Une Nuits ou la parole prisonnière* par J.E. Bencheikh, *op. cit.*, « La volupté d'en mourir » dans *Les Mille et un contes de la nuit*, en collaboration avec André Miquel et Claude Brémond, Gallimard, 1991.

11. La sixième heure, celle où, après s'être laissée couler sous l'eau du bain, Marie-Gabriel remonte aux origines de la création et à sa naissance pour sortir de l'épreuve, différente. Ce récit, nous l'avons vu, prend la forme du conte.

combat mené par Marie-Gabriel contre le cyclone à un autre combat, le narrateur affirme : « comme la princesse et le génie réduits en cendres à la cinquante-deuxième nuit. » (p. 160.) Pour caractériser l'entêtement du personnage à refuser l'effacement, le narrateur la prévient : « Antillaise Shéhérazade, tu vas vouloir émerger de la noyade avec une lettre d'amour à l'adresse de l'île des rescapés fidèles comme à la fin de la septième nuit. » (p. 163.) Enfin, à propos de l'île : « Il y faudra la millième heure d'une huitième nuit pour imaginer sa délivrance avec une pêche miraculeuse de poissons aux quatre couleurs. » (p. 166.)

Ce relevé de citations peut déjà indiquer une orientation de lecture. Ainsi l'allusion à la 7ᵉ nuit dans le conte du *Marchand et du génie* met en scène un génie intraitable qui ne justifie pas sa sentence de mort ; lorsqu'il apparaît, il est semblable à un cyclone : « une vapeur épaisse, comme un tourbillon de poussière enlevée par le vent », lit-on à la 3ᵉ nuit. C'est ce même génie qui ne laisse au pêcheur que le choix de sa mort. Reprise par Maximin, cette phrase n'a plus pour énonciateur le cyclone mais le narrateur, décidé à se séparer de la créature qu'il a créée, Marie-Gabriel.

L'allusion à la 52ᵉ nuit prend place dans l'*Histoire du deuxième calender, fils de roi* et réfère à la lutte du génie et de la princesse qui a accepté ce combat pour redonner forme humaine au singe qu'était devenu le second calender. Cette lutte est longuement décrite et sert de reflet au combat que Marie-Gabriel mène contre le cyclone et contre son créateur. Ce que dit la princesse peut être ré-apprécié pour la lecture du roman comme le difficile arrachement de l'écrivain aux personnages qu'il crée :

> « Mais c'est une victoire qui me coûte cher : il me reste peu de moments à vivre et vous n'aurez pas la satisfaction de faire le mariage que vous méditiez. Le feu m'a pénétrée dans ce combat terrible et je sens qu'il me consume peu à peu [...] j'ai fait connaître au génie que j'en savais plus que lui ; je l'ai vaincu et réduit en cendres. Mais je ne puis échapper à la mort qui s'approche[12]. »

---

12.   Traduction d'Antoine Galland, lue par le romancier.

Si la présence des *Nuits* est assurée par ces citations allusives, leur mémoire est ailleurs. Le démarcage citationnel est l'aimant pour inciter à une double lecture. Par contamination, l'allusion peut entraîner chez le lecteur qui la reconnaît une lecture inter-textuelle qui décuple les significations produites. L'énoncé qui suit la première mention explicite d'un conte nous met sur la voie de la féminité et du franchissement des codes qu'elle peut assurer :

> « Femme entre les femmes humaine, tu as fécondé toi-même la parole du médiateur, une messagère s'est incarnée à côté du messager, le message entre les deux. » (p. 152.)

C'est à l'enjeu fondamental que s'attache Maximin : le risque de mort mais surtout le risque de silence si la parole est tranchée, si le Verbe se suspend ; et, en conséquence, l'entrée dans un langage monolithique et univoque. L'influence affichée des contes arabes, qui pouvait n'apparaître que comme un appât de couverture, s'approfondit.

Prisonnière du sultan, prisonnière du cyclone, les deux femmes doivent trouver à chaque « heure » ou « nuit », un « mode » de résistance à la brutalité et à l'anéantissement.

Pour Maximin, la ligne directrice du projet d'écriture était de « trouver à chaque heure la raison de ne pas désespérer »[13]. Lorsqu'il a pensé aux *Nuits*, – « au moment où j'ai trouvé le titre », dit-il –, ce projet est devenu questionnement sur la position de Shéhérazade qui, comme Marie-Gabriel, a besoin d'une « luci-dité », d'une « disponibilité ». « Ce n'est pas une angoisse. La conscience de la fragilité pousse à vivre de la façon la plus intense possible chaque moment. L'angoisse, si elle est trop forte, fait abandonner. » Si l'énergie de résistance de Shéhérazade est investie dans la parole des contes, celle de Marie-Gabriel ne s'y investit qu'à la dernière heure mais a puisé auparavant ses forces dans l'amitié, la musique, la lecture, la maison. Pour l'une comme pour l'autre, l'objectif ultime est la liberté. Non leur liberté en tant que personnage mais la liberté qu'affiche l'espace où s'affronte la loi et le désir, l'espace dont elles sont les gardiennes. « Le cyclone

---

13.   Pour ce paragraphe, propos inédits du romancier.

joue avec Marie-Gabriel comme le sultan joue avec Shéhérazade. » Dans l'un et l'autre cas, mais avec des mises en contexte tout à fait différentes, nous assistons à « la lutte de ce qu'il y a de plus fragile face à une force plus puissante ». Au-delà de la réalité naturelle que représente le cyclone, son sens symbolique est de représenter l'esclavage. L'enjeu n'est donc pas simplement le sort de Marie-Gabriel (ou de Shéhérazade) mais aussi celui de tout un peuple (et plus largement de l'humanité tout entière). Les esclaves, la nuit, essayant de vivre autrement que dans la survie du jour, chantent, dansent, se racontent des histoires. Celles-ci sont un message pour se libérer, « le détour par l'art est un principe de libération ». Cette fonction libératrice de l'art est bien l'enjeu fondamental. Le narrateur, dans *L'Île et une nuit*, transmet du vivant en faisant de Marie-Gabriel sa messagère. Il lui lance dans une ultime apostrophe : « N'aie pas peur de disparaître ou de renaître par d'autres voix. » (p. 166.) Les anonymes des *Nuits* retrouvent identité grâce à la nomination de l'une d'entre elles : Shéhérazade. Les anonymes de l'esclavage et des résistances obscures trouvent leur symbole dans Marie-Gabriel : « Ton prénom proféré six heures d'ancrage et de dérive par d'autres prénoms, prénoms de femmes. » (p. 156.)

On peut aussi penser que l'enchaînement des citations, l'ordre dans lequel elles sont insérées, n'est pas fortuit dans une écriture aussi concertée que celle de Maximin : notre lecture – qui n'exclut pas la précédente mais la complète – serait celle de la recherche des moyens de la délivrance des emprises de la création. En commençant par l'allusion à la 10e nuit, le narrateur insisterait sur l'idée de mise à mort du libérateur en un parallèle où le génie est sa métaphore. Pour se prouver qu'il est bien le maître de son œuvre, le narrateur engage un combat à mort avec sa créature, comme à la 52e nuit. On sait, par les deux romans antérieurs, que Marie-Gabriel a toujours souhaité mourir par le feu. La citation de la 7e nuit est celle d'une autre proposition de mort : la mort par l'eau. Mais l'eau ne pouvait être espace d'anéantissement car elle a rejailli en « eaux » maternelles de renaissance dans le conte de la sixième heure, comme nous venons de le voir. L'impasse et la nécessité de la séparation sont ressenties comme une souffrance par le narrateur qui, semblable au prince ensorcelé de la 27e nuit, dit son désir profond de mettre un terme à la trilogie pour passer à une autre voie de création. Alors peut se rêver, sans s'accomplir encore, une pêche miraculeuse aux poissons aux quatre couleurs, comme dans le 8ᵉ nuit ; le poisson est un motif commun au conte arabe et au conte antillais... C'est bien de l'espace magique de la parole contique dont il est question ici !

Au terme de cette lecture et de cette réécriture guadeloupéennes de l'enjeu des *Nuits*, on peut avancer que, par un juste retour d'influences, la femme-île qu'est Marie-Gabriel nous incite à son tour à lire Shéhérazade comme une femme-île, c'est-à-dire comme un espace de résistance, d'imaginaire et de désir, symbole du jour *« où l'aurore ôtera au mal sa lumière »* (p. 166). Au-delà du conte antillais, Maximin, dans l'accomplissement du travail intertextuel sur le conte, a été jusqu'à l'inclusion dans son imaginaire du prototype universel, du conte des contes, la référence aux *Mille et une Nuits*, en l'entraînant plus loin en ce qui concerne l'affirmation de la féminité et de la liberté. La remontée vers l'origine a aidé à enlever les masques, à proposer au couple d'autres voies que celles de la possession, alors que Shéhérazade s'imposait dans la structure sociale, revendiquant sa place sans bousculer l'ordre ou ne le bousculant que dans le spectacle donné, par ses histoires, du conflit fondamental :

> « Nous avons mêlé l'abandon extrême à la lucidité. Du rêve jusqu'au réveil. Sans souci de possession. L'épilogue du roman d'amour nous fait le cadeau précieux d'une solitude mieux épanouie. » (p. 157.)

5

Histoire et création

« Que tes yeux se souviennent de la parole :
parce que nous sommes une petite île, ils
nous considèrent comme des souris en cage
affamées de libertés en miettes. Mais nous
n'aurons d'oreille que pour les tambours
des crapauds et notre regard sera à la
hauteur du vol des colibris. »
(*L'Isolé Soleil*, p. 77.)

La trilogie commence par un récit historique. Et c'est bien dans *L'Isolé Soleil* que nous pouvons étudier la manière qu'a l'écrivain d'inscrire l'Histoire dans son écriture et déceler les raisons de son projet.

Le survol rapide de la présence de l'Histoire dans les deux romans postérieurs montre, par contraste, le travail très original accompli à ce sujet dans le premier, célébré très précisément par Adrienne Roussy lorsqu'elle dit à Marie-Gabriel, après avoir lu son manuscrit : « Merci d'aider les morts à devenir ancêtres. » (*Soufrières*, p. 249.)

> *Le sujet de L'Isolé Soleil ? C'est bien l'histoire de quelqu'un qui se pose la question du roman historique. Mais pas seulement cela. C'est l'histoire d'une jeune fille [sur ce plan-là, elle est tout à fait moi] qui recherche une écriture plus*

qu'un style, une manière de bricoler le langage, de jouer avec lui. Pour elle, le travail d'écriture est la priorité. Elle se pose la question de l'Histoire, celle de nos peuples. Il n'est pas question de faire de l'introspection personnelle. Pour tout écrivain du Tiers monde, il y a massivement cette question de l'Histoire. En Europe, cela a été tellement fait qu'on peut penser s'en passer : comment écrire après Balzac pour le décor, après Stendhal pour l'histoire, après Flaubert pour le personnage, après Proust pour l'auteur ? Celui qui se met à écrire après de tels devanciers a un tel fardeau d'histoires racontées qu'il peut même se dire que la modernité c'est de laisser l'Histoire de côté. Nous n'avons pas cette liberté dans le Tiers monde. Nous avons beau bien connaître la littérature du monde, c'est comme si elle parlait d'un autre monde que le nôtre.

Car nous partons, non du récit de notre Histoire mais de son absence, de son déni ou de son reniement. Littérature d'héritiers sans ascendance, c'est la découverte de l'héritage même qui est au bout du voyage initiatique pour la naissance de nos écritures. V.S. Naipaul raconte qu'il a eu la vocation d'écrire quand il a lu, avec grande étrangeté, le nom de sa rue de Port of Spain dans une nouvelle publiée un samedi dans un journal local. Comme si enfin l'écriture arrivait pour justifier l'existence familière de la rue, car pour l'enfant assoiffé du Tiers monde, il y a plus de vérité, de justice et de sources dans le livre à venir que dans l'étroite réalité emprisonnée d'oubli.

J'ai donc résolu la question en trichant... Je vais faire un roman sur une jeune femme qui a envie d'écrire et qui se pose la question : « Suis-je là pour raconter l'histoire de mes ancêtres ? » Le roman historique est donc doublement présent, comme écriture et comme sujet.

Le roman contient de nombreux dialogues Adrien / Marie-Gabriel : Adrien exhorte son amie à se méfier : elle ne doit pas devenir le parent de ses ancêtres ; il l'incite à créer du nouveau, non du fond de l'inconnu mais malgré le méconnu à corriger. Il la met en garde contre la pire des aliénations qui serait de repartir vers l'antériorité : vouloir en tant que feuille remonter le chemin de la sève par l'intérieur pour aller voir la racine. Ce chemin, on ne le fait jamais dans l'ordre du vivant. La feuille s'échappe jusqu'à ce qu'elle retrouve la terre au moment de mourir et qu'elle inaugure l'expérience de la racine qu'elle devient alors.

Il m'a donc fallu deux personnages : l'un qui était décidé à explorer l'Histoire et l'autre qui exhortait sans cesse à la méfiance. Mon écriture tourne autour de celle qui a décidé d'oser.

Le roman d'actualité et le récit-veillée

Soufrières fait le choix de se situer dans une actualité, bien datée : le réveil de la Soufrière en 1976. Toutefois la présence de l'Histoire est encore prégnante, d'autant que de nombreux personnages sont nouvellement introduits, comme nous l'avons vu précédemment.

La primauté étant donnée à la géographie sur l'Histoire, celle-ci ne s'inscrit dans le récit que par des analepses introduites pour informer du passé de quelques personnages et par les déductions auxquelles l'écrivain nous oblige pour nous repérer dans le temps. On y parvient toujours au terme d'une lecture nécessairement active !

* Mai 1967 : date à laquelle Élisa a perdu la parole, « le soir où son pied fut brisé par la balle d'un mousqueton qui tua l'autre enfant, son petit frère Rimbeau, que ses bras protégeaient » (p. 15). Le récit est ensuite complété (p. 32). Dans l'analepse consacrée à Toussaint à la p. 49, l'évocation est plus politique : « l'entrée de l'histoire pour les jeunesses de mai. L'émeute. La mort des autres ». Il faut la crise d'Élisa devant les gendarmes et celle de Toussaint chez Antoine (p. 105) pour que l'événement soit donné dans toute son ampleur à travers les souvenirs brûlants qui envahissent Toussaint et expliquent en partie, sa mort-suicide (pp. 106 à 108). On sait qu'en mai 1967, à l'occasion d'une grève des ouvriers du bâtiment, une manifestation a été réprimée comme cela ne s'était jamais passé aux Antilles, depuis des décennies. Quelques mois auparavant, un cyclone avait ravagé la Guadeloupe

sans qu'il n'y ait de mesure pour les sinistrés. L'armée et la gendarmerie tirèrent à la mitrailleuse. Le bilan est lourd : 70 morts pour certains, 110 pour d'autres et 2 000 blessés. Plusieurs militants du GONG sont arrêtés. Le traumatisme fut général[1]. Deux journalistes rappellent également l'atmosphère de cette période :

> « En 1966, le cyclone "Inès" ravage la Guadeloupe. Un an après, en mai, les ouvriers du bâtiment déclenchent la grève la plus sanglante de l'histoire du département. Appuyée par l'AGEG (l'Association générale des étudiants guadeloupéens) elle débouche sur un affrontement féroce entre les forces de l'ordre d'une part, les étudiants et ouvriers d'autre part. Trois jours de démence où toutes les haines et les rancœurs accumulées prennent le pas sur la raison. On avoue dix morts. On en tait cent. Un procès, connu comme "le procès des Guadeloupéens", laisse des traces indélébiles[2]. »

On voit comment le romancier procède, en privilégiant les répercussions humaines sur un de ses personnages et en n'entrant pas dans le débat politique et les causes de l'émeute, mais sans nous laisser de doute, néanmoins, sur le point de vue qu'il adopte et privilégie.

* 16 juin 1976 : massacre de plus de 400 lycéens à Soweto en Afrique du Sud. Adrien apprend la nouvelle en passant à la librairie Présence Africaine (pp. 73-74), Antoine la répercute à Basse-Terre quand il rencontre ses amis le 8 juillet et Toussaint la rumine, bousculant Jadreuse dans son désarroi.

Les autres faits historiques dont on nous donne les dates sont tous déjà connus depuis *L'Isolé Soleil* et n'ont qu'une fonction allusive ou mnésique.

Dans le récit-veillée qu'est *L'Île et une nuit*, la dimension historique événementielle disparaît tout à fait : le cyclone lui-même dont, par déduction, on peut supposer qu'il est le cyclone

---

1.   *Cf.* M. Manville, *Les Antilles sans fard*, L'Harmattan, 1992, pp. 106 *et sq.*
2.   Bernard Loubat et Anne Pistolesi-Lafont, *La Soufrière, à qui la faute ?* Préface de Haroun Tazieff, Presses de la Cité, 1977, p. 32.

« Hugo » de 1989, devient un cyclone simplement. Toute la place est laissée aux moyens de résister aux catastrophes naturelles, en restant « ici et maintenant » dans l'Habitation. L'Histoire comme mémoire ou actualité disparaît au profit des voies d'affirmation de l'existence dans l'île.

Néanmoins, si l'on réfléchit aux différents personnages de la trilogie, on prend conscience qu'ils sont souvent des êtres en souffrance, tous marqués par l'Histoire.

Ariel / Ève est marquée par l'indépendance de l'Algérie et la perte de son père assassiné par l'OAS et celle de la terre natale. L'écriture de Marie-Gabriel « naît » le jour de la mort de son père et de celle des responsables indépendantistes en 1962 ; Angela et Élisa sombrent dans la folie, l'une à cause des départs en dissidence et des représailles allemandes, l'autre à cause de la répression colonialiste des émeutes de mai 1967. Adrienne Roussy rappelle aussi la répression vichyste à travers le récit de la mort de son fils, Toussaint. Le second Toussaint est marqué à jamais par son engagement politique. L'Afrique du Sud, l'Amérique latine et les États-Unis sont présents à travers leurs artistes engagés. Les faits historiques sont donc intégrés par les conséquences souvent dramatiques qu'ils ont eues sur les personnages et cet éclairage particulier est, bien entendu, un choix de l'écrivain.

Toutefois, c'est avec *L'Isolé Soleil* que Maximin avait fondé sa trilogie sur une réflexion concernant l'écriture de l'Histoire. Elle éclaire l'ensemble de la création et explique qu'on puisse progresser d'une épopée poétique à un récit-veillée, créant un mythe en passant par un roman d'actualité.

L'Isolé Soleil : une épopée poétique

Nous avons vu que, dès l'incipit, l'aire géographique était bien précisée et l'exploration temporelle annoncée. Le récit se passe aux Antilles et, plus précisément, si l'on nomme les lieux et si l'on reconstitue un ordre chronologique :
– à la Désirade entre 1765 et 1767 ;

– puis, presque exclusivement, en Guadeloupe de 1785 à 1928, puis de 1940 à 1945, enfin de 1962 à 1969 : l'île des prémices de la Révolution française à l'abolition de l'esclavage, puis l'île sous Pétain et enfin, l'île et les mouvements de décolonisation.

Autour de la Guadeloupe (Karukéra)[3], lieu essentiel, gravitent d'autres lieux :
– des lieux cités en liaison avec certains personnages, en particulier Louis-Gabriel, le musicien : la Dominique, les États-Unis et Harlem, Cuba, Londres, Paris, Haïti, la Martinique ;
– des lieux évoqués : l'Algérie, la France, l'Afrique et l'Éthiopie.

Les périodes choisies sont connues pour ce qui est des quatre dates clefs :
– 1802 et l'effervescence aux îles après 1789 ;
– 1848 et l'abolition de l'esclavage ;
– 1939-1945, la seconde guerre mondiale ;
– 1962, l'indépendance de l'Algérie.

Elles sont mises en texte pour une information autre que l'information habituelle, supports d'une autre Histoire :
– de 1802, on retient surtout la résistance guadeloupéenne autour de Delgrès et la non application des Principes de 89 dans les colonies ;
– de 1848, l'abolition de l'esclavage, non comme don dû à la magnanimité du maître mais comme aboutissement des luttes des esclaves ;
– de la seconde guerre mondiale : les leurres et les espoirs des colonisés pris entre les Alliés et le régime de Vichy ;
– de 1962, l'explosion du Boeing 707, le 22 juin 1962, au-dessus de la Soufrière et qui avait à son bord deux militants auto-nomistes : Paul Niger et Justin Cataye.

Ces premières précisions montrent que les dates reviennent avec une insistance et une ostentation frappantes, pour les faire connaître. À ces dates « historiques »[4] font écho les dates et chiffres « poétiquement » symboliques. Le texte crée des ren-

---

3.   Appellation amérindienne des îles, familière pour le lecteur antillais, Karukéra, Madinina, décodable pour qui veut s'informer.
4.   Il est aisé de reconstituer avec un peu d'attention au texte, les dates précises retenues dans chaque partie. Cf. p. 281 : « Mais que de temps et d'espace il faut pour venir à l'existence ! »

contres et des réseaux de sens et de connivence pour donner à lire l'Histoire de façon plus prenante que la réalité des faits eux-mêmes.

De la même manière que les moments historiques sont pointés avec précision et éclairés sous un aspect méconnu ou inhabituel, des personnages historiques habitent le texte, soit pour le ponctuer, soit pour l'animer :
– des inconnus comme Jean-Baptiste Alliot, Nicolas Germain Léonard, le gouverneur Fénelon, Novalis, etc. ;
– des historiques minorisés par l'Histoire officielle et auquel le texte redonne leur place légitime : Ignace, Pelage, la câpresse Anaïs, la mulâtresse Solitude, Toussaint Louverture (pour Haïti) et, bien sûr, Louis Delgrès. Pour l'actualité : Paul Niger et Justin Catayé. Rapidement, en 1897, H. Legitimus ; tous les militants d'aujourd'hui[5] ;
– des historiques de l'Histoire officielle minorisés par le roman : Bonaparte, Richepanse, Schoelcher ;
– des personnages portant des noms marqués historiquement (comme Toussaint ou Angela) ou marqués littérairement, comme Ariel.

Deux personnages, un homme, une femme, portent successivement le même prénom, Ariel. C'est voulu car c'est pour moi un nom-signe du médiateur et un personnage, en conséquence, positif. En règle générale, on trouve toujours plus rassurant d'être d'un seul côté. Les deux Ariel symbolisent la tentative occidentale d'aller vers l'autre. Comme Rimbaud. Ces personnages, de l'Occident, sont dans la demande de quelque chose que nous, nous avons. Le rapport à la nature – voir Camus – à l'histoire. Ils se situent par rapport à ce rationalisme qui a écrasé l'imaginaire et ils essaient de se raccrocher à nos mondes. Le premier Ariel ne franchit pas le

---

5. Les militants sont nombreux, combattants ou intellectuels engagés, convoqués en texte sans explication, ce qui suppose un lecteur complice. Citons-en quelques-uns : Georges et Jonathan Jackson, frères de Soledad, Angela Davis, Frantz Fanon, Gerty Archimède, Rémy Nainsouta, Rosan Girard, Étienne Léro, Léon Gontran Damas, Jacques Roumain, Aimé Césaire, Sonny Rupaire, etc.

pas jusqu'au bout. Mais la seconde, la femme de Toussaint,
c'est un peu différent : parce qu'elle est la Méditerranée (dans
quelque chose de camusien). Pour moi, Camus n'est pas un
homme partagé : il est de là-bas, comme nous fils du soleil et
de l'histoire...
        Mes deux Ariel sont des personnages en offre et demande
de métissage...

À partir de ces dates et de ces personnages ré-appréciés, nous
lisons, véritablement, selon l'expression de P. Barbéris, « une
Histoire outillée autrement ». En fin de parcours, les « repères
historiques » récapitulent les informations documentaires mini-
males qu'on souhaite imprimer durablement dans la mémoire.
L'ensemble de ces ancrages spatio-temporels servent un projet
d'écriture clairement affirmé par les voix jumelles de Marie-
Gabriel et d'Adrien : « faire revivre les pères disparus de notre
histoire, depuis l'éruption de Delgrès jusqu'à celle du Boeing »
(p. 14). L'Histoire est alors autant nourriture de l'écriture que
matière de la fiction.

L'écriture se nourrit d'affronter la question de l'Histoire et
de la dépasser. Matière de la fiction car il y a tellement à dire
sur ces pays. Nous sommes requis par le lecteur de nos régions
qui exige qu'on lui restitue son histoire confisquée. Elle a été
niée, déniée, méconnue et parfois par nous-mêmes. Ainsi la
question du document historique : il n'y en pas ou peu.
Lorsqu'ils ont été écrits, c'est par les maîtres. Il y a très peu de
textes écrits par les esclaves pour expliquer leur condition.
Cette requête pressante du lecteur explique les choix de la
fiction, l'authenticité postulée du Journal de Siméa, *du* Cahier
de Jonathan, *trouvés dans un grenier et transmis de mère en*
fille jusqu'à moi !

Dans Frères Volcans, *que fait Vincent Placoly ? Il a voulu*
écrire sur 1848 et la période de l'abolition à la Martinique et
dans sa préface, il précise avoir découvert un « livre-journal »,
manuscrit écrit par un homme blanc en 1848 ; il s'agit d'un
libéral, fils des Lumières épris de littérature française ; un

humaniste nourri de Sophocle, de Montaigne et de Rousseau, qui a vendu toutes ses propriétés et affranchi ses esclaves. Il tient son journal dans les semaines qui précèdent l'arrivée du décret officiel du 27 avril 1848[6].

En réalité, il y a à la base un journal bien réel un texte qu'Édouard Delepine, un ami historien lui a passé, un vrai journal intime d'un vrai Blanc libéral qui l'avait écrit autour de 1848. Il faudrait confronter ce document et le texte de la pièce : où est la vérité ? où est l'invention ? Jusqu'à quel point la vérité est-elle un besoin ? Ce qui est sûr, c'est que ce qui nourrit l'écriture c'est le questionnement de l'Histoire. Questionner est plus important que répondre.

Dans ces parties de L'Isolé Soleil, *je joue à ne pas imposer une écriture unique qui clôturerait son identification sous ma signature, mais à tenter de respecter plusieurs registres d'écriture de l'Histoire, écriture de la vérité du moment – le style du XVIIIe ou du XIXe s. – pour faire croire que c'est bien un document vrai. Le lecteur a parfois du mal à accepter ce va-et-vient ludique entre l'écriture et la fiction alors qu'il accepte très bien l'invention des personnages.*

Tant pis s'il y a du « jeu », une distance, entre mon désir et la compréhension du lecteur. L'un et l'autre doivent accepter leur liberté réciproque. C'est un travail de construction : J. et G. ... le présent apprend le passé. Vous affrontez une liberté aux prises avec une autre liberté. Le lecteur devient l'inventeur de sa propre histoire. Chaque genre a des structures codifiées : le jeu de la liberté n'est pas plus faible dans le roman historique que dans le roman de science-fiction, par exemple.

---

6.   *Frères Volcans* de Vincent Placoly a été adapté par Sylviane Bernard-Gresh – à laquelle nous empruntons ces précisions – et mis en scène, superbement, par Anne-Marie Lazarini au Théâtre Artistic Athévains (Paris, 11ᵉ) de novembre à décembre 1998. *Cf.* le dossier d'accompagnement (document disponible au théâtre) qui donne des informations nombreuses sur cet écrivain martiniquais mort en 1992 qui a été obsédé, dans toute son œuvre par la question : « Comment dévoiler le monde, et singulièrement l'homme, aux autres hommes ? » Il écrivait : « L'écrivain qui créera le nouvel art poétique qui nous concerne devra dénouer l'écheveau des vanités coloniales, dénoncer les illusions factices du regard étranger, il devra retrouver la beauté de la sauvagerie. »

Le noyau historique central est bien circonscrit : du 28 mai 1802 – rendez-vous manqué avec la liberté – au 22 juin 1962 – nouveau coup porté au combat de libération. Avant ce noyau : 1765 à 1802 et après, ce que les personnages sont en train de vivre : 1962-1969.

Le lecteur-narrataire se trouve alors dans la position d'Ève, exilée d'Algérie après 1962, à qui Adrien a adressé le manuscrit de Marie-Gabriel :

> « J'ai deux cents ans, un corps gavé de fruits, écartelé de souffrances, grand comme trois continents, fragile comme celui d'une petite fille qui court en tenant serré sur son cœur son cahier d'écritures [...] cahiers-mémoire d'un peuple qui traversent tous les cyclones protégés par des mains de femmes-sorcières, de femmes-enfants. » (p. 287.)

Nous avons vu, précédemment, qu'un résumé de *L'Isolé Soleil* était délicat à faire car s'il y a beaucoup d'Histoire, il y a peu d'histoires... Tentons un second résumé, plus précis, en fonction de ce traitement de l'Histoire que nous analysons dans ce chapitre.

Le soir de ses dix-sept ans, Marie-Gabriel se blesse en tombant d'un arbre au moment même où l'avion de son père s'écrase sur la Soufrière, le 22 juin 1962. À bord de ce Boeing avaient pris place deux militants autonomistes, Paul Niger et Justin Catayé. Cette chute et ces morts précipitent Marie-Gabriel dans l'aventure de l'écriture, du sens et de la mémoire, aventure déjà amorcée par jeu et dérobade avec Adrien, l'ami lycéen qui vit à Paris. Cette reconstruction de la mémoire, Marie-Gabriel doit sans cesse la justifier contre Adrien. Elle précise bien que, pour elle, ce n'est pas un retour nostalgique et stérile vers le passé mais une sorte de thérapie pour vivre le présent en ayant dépoussiéré cette Histoire idéalisée. L'origine choisie n'est pas l'Afrique mais la Désirade où se constitue « le couple » de base, le maître et l'esclave : « bon » maître et esclave domestique, affranchie grâce à ses dons de guérison et dont les jumeaux suivent des chemins parallèles, l'un qui vit dans l'espace de l'habitation et l'autre dans celui du marronnage. Leur sœur meurt assassinée en même temps que la fille du maître. Le roman s'arrête longuement sur le mois de mai 1802 qui voit l'organisation puis l'anéantissement de la résistance, autour de Delgrès, par l'envoyé de Bonaparte. Après cette date, les années se succèdent à un rythme plus rapide jusqu'en 1848 où le texte marque à nouveau un ralentissement puis repart jusqu'en 1928. C'est l'année du cyclone dans lequel meurt Ti-Louise, grand-mère de Marie-Gabriel qui a entrepris d'écrire cette histoire nationale et familiale. C'est ensuite la période de la rencontre des parents de la narratrice sur fond d'îles pétainisées. La dernière partie se situe dans l'actualité des années 60. D'autres noms et faits historiques affluent en texte, militants d'Amérique latine, d'Amérique du Nord, des Antilles, signes d'une Histoire en train de se vivre et en train de s'écrire.

Pour écrire cette Histoire, le genre privilégié est le Cahier car il permet l'insertion de tous les autres discours : documents historiques (dont les lettres et les proclamations), documents fictifs (rédigés sur le modèle des précédents) et la discussion de tout ce qui s'écrit parce qu'il est un espace de réflexion − comme le « brouillon » d'un essai.

Ainsi cette fiction historique raconte par les discours, c'est-à-dire privilégie l'adresse d'un locuteur à son interlocuteur, renouant, en la modernisant, avec le caractère essentiellement oral de l'épopée, jouant toutes les nuances du pur mythique (insertion de rites africains, de contes, de proverbes, etc.) au pur historique (tous les documents utilisés) en empruntant les voix / voies de la tragédie (mort héroïque de Delgrès), celles du conte (le devenir des Antilles, les frères de Soledad), celles du roman (l'histoire particulière de chaque personnage fictif).

Le choix de genres oraux, à destinataire direct fait de l'épopée du passé un récit au présent, donc un récit toujours tendu vers l'avenir. Ce constat peut être corroboré par le jeu chronologique où le présent encadre et ponctue le passé :

<u>1962</u> --- 1802/1928 --- 1962/1963 --- 1939/1943/1945 --- <u>1969</u> ...

L'écriture italique sert à marquer une frontière entre le cité et le narratif. En italiques, les échanges épistolaires du quatuor du présent mais aussi de personnages du passé. En italiques également, tout ce qui est « Histoire vive », documents d'archives, lettres (comme celles de J.-B. Alliot, des instructions des gouverneurs, l'extrait du « Droit public des esclaves », la proclamation de Delgrès, l'exhortation de Toussaint Louverture, etc.).

L'italique ne réfère donc pas seulement à l'Histoire attestée par la documentation historique mais aussi aux documents inventés, ceux de l'Histoire possible et ceux de l'Histoire d'aujourd'hui qui s'écrira demain.

Dans l'autre typographie, l'historique redimensionné, la trame inventée (mais où se mêlent encore imaginaire et attesté) pour « supporter » et fondre en un même ton, documents intimes, personnels, documents littéraires et documents historiques.

La seconde unification de ces discours disparates est celle des titres. Ils réunissent sous leur bannière plusieurs voix : *Désirades* pour dire le projet d'écriture, *Le Cahier de Jonathan* pour parcourir les territoires des ancêtres autour du noyau central, *L'Isolé Soleil* pour revenir au dialogue d'aujourd'hui, *Le Journal de Siméa* pour poursuivre l'histoire parentale, *L'air de la mère* pour le retour au pays et la naissance de la narratrice, *L'exil s'en va ainsi* pour convoquer toutes les voix, depuis 1945, qui redessinent le monde des « damnés de la terre ».

Ainsi typographie et titrologie permettent une intégration judicieuse de l'information historique en gommant les sutures, en brouillant les pistes pour ne pas hiérarchiser entre vérité historique, vraisemblance et création : « Ma soif invente encore des sources, et les sources s'élancent dans l'ignorance des mers et des déserts. »

Prospecter et arpenter l'Histoire, ce n'est pas produire un discours de la certitude. Il faut inventer le réel, seule manière de ne pas être piégé par la vérité. Pour parvenir à cela, le lecteur est mis dans la situation de ne jamais savoir ce qui est « vrai » et ce qui est « faux » : on sonde plusieurs versions du même phénomène car le doute est générateur de désaliénation. On déplace des éléments d'information historique, on trafique des documents qui sonnent juste : le discours historique ainsi produit est aussi un discours de l'imaginaire, d'un réel fécondé par le questionnement.

Il est nécessaire de préciser cette démarche pour comprendre comment chaque époque adopte le style des locuteurs qui l'animent mais participe, par une instance narrative toujours présente entre les documents, à une écriture d'ensemble qui permet l'unification du projet.

Le document historique est lui-même travaillé. Ainsi, l'épisode de la Désirade avec J.-B. Alliot est écrit, en grande partie, à partir d'un article d'historien : « Les mauvais sujets à la Désirade, 1763-1767 » de Robert Le Blant dans *La Revue de l'Histoire des Colonies françaises* (1940-1946, pp. 84-95)[7]. Dans cet article

---

7. Parallèle de textes :
    Texte-document : en 1763, la Désirade était aussi « le refuge des nègres ladres qui étaient l'espèce de colons la plus misérable qu'on puisse concevoir. Abandonnés par leurs maîtres, ces malheureux ne se nourrissaient guère que de racines et vivaient au nombre d'une trentaine dans un quartier spécial situé près de la baie Mahaud. Certains d'entre eux étaient dépourvus de bras ou de jambes, d'autres avaient seulement perdu leurs doigts. La plupart d'aspect décharné, couverts de dartres, de loupes, d'érésipèles, de lèpre, de plaies de toutes sortes, se traînaient en rampant ou en s'appuyant péniblement sur un bâton » (tous les détails que donne Le Blant s'appuient sur des archives).
    Texte de L'Isolé Soleil, p. 29 : « *... pour en faire le dernier exil des rebelles caraïbes, puis le refuge des lépreux et le bagne des enfants déportés de France. Sur l'île, canot renversé couvert de dartres, de loupes, d'érésipèle, les Nègres-ladres manchots ou édentés croisaient des gentilshommes, ou mauvais sujets ou prétendus fous ou atteints du haut mal, déshérités par leur famille de haute considération de sang et de fortune à Nantes, Rochefort ou Bordeaux...* »
    Texte-document : « On s'aperçut, cependant, qu'il était possible de les soigner avec de l'écorce de gayac et que certains d'entre eux guérissaient de leurs maux » – « À ces déshérités de la nature, l'ordonnance royale du 15 juillet 1763 vint donner pour voisins ceux que les familles de France désiraient rejeter de leur sein », « de jeunes gens tombés dans des cas de dérangement de conduite, capables d'exposer l'honneur et la tranquillité des familles ». (longue description de leurs vies et des traitements qu'ils subissaient).
    Texte de L'Isolé Soleil, p. 31 : « *Jean-Baptiste prit à son service la mulâtresse qui l'avait soigné pendant sa déportation, qui avait même guéri certains lépreux, à l'aide de plantes et de boissons inconnues qu'elle mêlait à des incantations de langage.* »
    Texte-document : « Le gouvernement de la Désirade fut confié à Gabriel II Rousseau de Villejoin, vieil estimable officier. » Il intercède en faveur de ces « mauvais sujets ».
    Texte de L'Isolé Soleil, p. 29 : *le gouverneur Villejouin vend Miss Béa à J.-B. Alliot.*
    De nombreux noms sont empruntés par Maximin et des détails physiques ; la lettre du jeune Alliot est reprise intégralement, p. 30 avec la date exacte.

détaillé sur les raisons du choix de cette île pour y exiler les sujets récalcitrants des « bonnes » familles de France et dans la description détaillée donnée de leur vie, des sévices qu'ils subissent, des interventions dont ils furent l'objet et des raisons de la fermeture de ce « pénitencier », Maximin choisit ce qui lui convient, n'hésitant pas à déplacer les caractéristiques attestées d'un personnage à un autre, conservant des détails et effaçant des informations de premier ordre, gardant de J.-B. Alliot, le nom et la lettre qu'il écrivit à ses parents mais lui inventant tout un devenir à partir de son départ de la Désirade et de son installation en Guadeloupe. Il conserve aussi le nom des gouverneurs. L'information est reprise comme jeu de vraisemblance et non comme document fétichiste. L'effet de réel et d'information est obtenu sans pour autant que le texte soit esclave du document. Car ici, il y a document.

Mais, dans l'histoire des esclaves, où est le document ? Que signifie alors la vérité ? L'essentiel est de retenir des détails significatifs pour donner ancrage historique au personnage introduit comme actant dans la fiction : J.-B. Alliot.

À ses côtés, Miss Béa, entièrement créée (et non inventée) au carrefour de faits attestés (femmes esclaves, esclaves domestiques, don de guérison, prêtresses) emprunte aussi son langage à une autre mémoire que celle du document classique.

Avec Alliot, nous avons l'exemple de l'esprit d'une époque reconstitué, d'une vraisemblance historique. Avec Miss Béa et les autres, l'inscription du désir d'une Histoire autre avec la sédimentation de bribes de mémoires.

Nous sommes bien plus dans l'épopée poétique que dans le roman historique : *L'Isolé Soleil* est un héritage de mémoires, écrit avec le souffle du collectif et la plume du poète.

Nous voyons, dans cet exemple, que l'information est reprise comme marque de vraisemblance et non comme vérité historique. Panachant ses sources, Maximin attribue une mort attestée à J.-B. Alliot mais qui n'est pas celle de ce dernier, comme il lui a attribué des éléments de « vérité documentaire » empruntés ici et là. Pour la mort de Alliot, il emprunte cette fois à Oruno Lara les supplices et la mort de Millet de la Girardière, Barse et Barbet, Blancs qui avaient protesté contre la répression sauvage de juin 1802 (cf. *op. cit.*, pp. 170 à 173) avec description du supplice de la cage de fer. Il fait intervenir, en plus, Miss Béa.

* Autour de Delgrès, tout d'abord.

C'est un personnage historique dont on peut retrouver les sources : ses faits et gestes, les dates historiques auxquelles son nom est attaché, en particulier la proclamation du 9 mai et la décision du suicide collectif le 28 mai 1802, ses hésitations et ses décisions. Tout ce que consigne le texte à ce sujet est historique et repris, pour l'essentiel, à Oruno Lara, *La Guadeloupe dans l'Histoire*[8]. Maximin mentionne aussi la présentation qu'en donne *Le Larousse*. Entre ces deux sources, il combine et choisit d'amplifier certains traits : en particulier toute la séquence du violon. Il le met aussi en relation – ce que fait tout roman historique – avec des personnages de la fiction.

Le texte de Maximin continue, nous semble-t-il, la réflexion engagée par Oruno Lara sur la responsabilité historique de

8.   En 1979, L'Harmattan réédite, grâce à l'initiative de D.J.G. Lara et d'historiens de l'Institut caraïbe de recherches historiques (Guadeloupe), *La Guadeloupe dans l'Histoire* d'Oruno Lara, publié en 1921, au moment du centenaire de sa naissance (1879-1924). Personnage très populaire aux Antilles mais inconnu en France. Il s'est posé très tôt la question : « Qui parle pour nous ? ». Fils de Moïse Lara, nègre créole, esclave de 1822 à 1843 et de Bertilde, une Africaine née vers 1790 (et qui restera esclave jusqu'en 1848), O. Lara entre comme apprenti à l'imprimerie du journal *La Vérité*. Ouvrier autodidacte, dévoreur de livres. Avec ses frères, il participe au développement d'une presse exclusivement guadeloupéenne. À 27 ans, il crée *Guadeloupe Littéraire* (revue hebdomadaire) où il enquête sur l'Histoire des Antilles. Mais en 1914, sa situation professionnelle se dégrade à tel point qu'il est obligé de partir en France, laissant dans l'île son épouse, Agathe Reache, poétesse et enseignante. Il commence à percer quand survient la guerre. Il la finit, gravement miné. Sa prime de démobilisation ne lui permet pas de rentrer chez lui. Il crée une nouvelle revue et parvient à écrire son livre d'histoire qu'il termine en 1921 (couronné en 1923 par l'Académie de Rouen et par la Société de Géographie de Paris). Il meurt le 27 février 1924 à Paris, à l'âge de 45 ans.
O. Lara fut un « grand Guadeloupéen éveilleur, questionneur, unificateur ». Il a voulu connaître la véritable Histoire de la Guadeloupe pour mieux vivre le présent en ayant mesuré ses assises.
En conclusion à la préface de la réédition, les auteurs écrivent : « Être Guadeloupéen, être Martiniquais, aujourd'hui en 1979, cent ans après la naissance d'Oruno Lara, c'est peut-être vouloir retrouver les sentiers taillés des siècles passés, par tous les nègres cimarrons, nos ancêtres, et choisir lucidement de vivre libre ou de mourir. »

Delgrès. Rappelons ce passage de l'article « une leçon d'histoire », qu'il fait paraître le 17 mai 1908 dans la revue qu'il a créée un an auparavant, *Guadeloupe Littéraire*. Il imagine une conversation qu'il engage, tandis qu'il se promène sur la place de la Victoire et sur la Darse de Pointe-à-Pitre, avec un homme venu de l'année 1802 :

> « Ils évoquent ensemble des événements survenus aux mois de floréal primaire et prairial An X. Des ombres s'ébauchent autour d'eux : Richepanse, Pelage, Lacrosse, Delgrès, Ignace... La Guadeloupe retrouve pour un temps ses formes altières, elle se défend contre l'hydre coloniale et esclavagiste. Mais finalement la répression triomphe et c'est le retour au travail esclavagiste rythmé par les claquements du fouet des commandeurs. »

L'équipe d'historiens qui réédite le travail d'O. Lara, commente ainsi :

> « Pendant longtemps, cette insurrection des Guadeloupéens de 1802 a passionné les esprits mais cette histoire qui distribue les premiers rôles à Pelage, à Delgrès et à Richepanse n'a pas encore été comprise dans son ensemble. Il est certain, par exemple, que le refus de Delgrès de lever et d'armer 10 000 nègres guadeloupéens comme le voulaient Massoteau et Ignace, les véritables meneurs du mouvement révolutionnaire, a pesé lourdement dans l'évolution des événements. » (Avant-propos à la réédition, p. XIII.)

C'est à partir de là que Maximin joue sa partition originale : il ouvre le débat sur l'héroïsme, le suicide et le pouvoir : « Espères-tu donc que notre suicide suffira seul à racheter nos erreurs ? » reproche Jonathan à Delgrès, avec beaucoup de tendresse. Il y a refus de l'idéalisation romantique du rebelle que nous verrons plus amplement dans le chapitre suivant. Le suicide est-il notre seul héroïsme ? Il analyse, en ce sens, *La tragédie du roi Christophe* de Césaire, des poèmes de Sonny Rupaire ; il dresse la liste des poètes-rebelles morts aux Antilles et en Amérique Latine (pp. 109-110). Si le rebelle ne meurt pas, ne se transforme-t-il pas en dictateur ? La mort n'a-t-elle pas sauvé Louis Delgrès, Toussaint Louverture, Patrice Lumumba de la dictature ? ...

Ainsi, quelle que soit l'admiration que l'on sente pour tel ou tel personnage, le refus de vénération est plus fort.

Cette fusion entre personnages historiques et personnages inventés ? Mon horizon d'écriture est bien le lecteur et sa soif de connaître son Histoire. Or, Louis Delgrès est méconnu alors qu'il est un des héros fondateurs des Antilles et de la Guadeloupe. Au moment où il sait que tout est perdu, il refuse de s'en aller et se fait sauter sur place, avec 300 des siens. Le but consiste à aller chercher le plus de détails vrais sur lui sachant qu'ils sont justement méconnus pour donner à mon personnage une épaisseur romanesque. D'une certaine façon, on peut dire n'importe quoi sur Delgrès en le reconstruisant comme personnage de fiction mais on le fait dans la justesse et non dans la vérité. Au moment de l'assaut final, il avait son violon (c'est vrai ! il était musicien !). La justesse du romanesque consiste à dire : que vais-je faire de cette information ? Je n'ai pas vu la scène, je ne l'ai pas lue, il n'y avait pas de témoin. Donc entre le récit vrai et le silence, nul n'a de réponse : qu'est-ce qu'une vérité que personne ne peut connaître ? Qui pourra jamais dire quel a été le geste de la dernière seconde ? À partir de ces constats, la seule chose qui intéresse le romancier est la justesse de la scène qu'il va décrire afin de rendre justice à Delgrès. Les dialogues et les personnages inventés autour de Delgrès ont la charge de témoigner : le personnage vrai n'a pas seul la charge de la vérité. Je la suis avec le plus de délicatesse possible pour ne pas avoir l'impression d'imposer une vérité fausse à des lecteurs comme l'ont fait certains historiens : l'écriture doit éveiller le questionnement, le doute et non imposer des certitudes. Je retrouve, me semble-t-il, la démarche même qui est celle du conte oral traditionnel : « Cric-crac, est-ce que la cour dort ? ». « Non ! la cour ne dort pas ! » répond l'auditoire, obligé de revenir à l'ici et maintenant alors que le même conteur joue, en apparence, à l'en éloigner. C'est la mise en question de la frontière entre la fiction et la vérité. « Cric-

crac ! méfiez-vous ! » *Plus j'essaie de vous embarquer dans l'imaginaire, plus je romps l'illusion.* « *Cric-crac ! Si je vous dis tout cela, c'est pour que vous alliez chercher derrière quelque chose d'autre que ce que je vous raconte, par exemple, le message caché secret...* » *Vous êtes en train d'inventer votre propre histoire et, après tout, vous êtes autant conteur que moi. Je ne suis pas dans une position de domination par l'écriture et l'art face à des lecteurs qui seraient dans une position de réception passive.*

Je refuse d'être prisonnier d'une vérité pré-construite.

Le roman est en partie mémoire continuée de la grande entreprise inaugurée par Oruno Lara, mais il est surtout tentative de donner à savourer l'autre mémoire, la mémoire tue, la mémoire dissidente. C'est la raison pour laquelle dans l'échange fécond recherché entre Histoire / Mythe et poésie, un double choix est fait : celui de la transformation du Rebelle en rebelles anonymes et celui d'une figure féminine hautement poétique et symbolique : Miss Béa. C'est ce que nous étudierons dans nos deux chapitres suivants.

Ainsi, si le projet est en partie didactique – faire connaître et transmettre une nouvelle histoire en poursuivant la recherche ouverte par des aînés –, il est surtout prospectif. Marie-Gabriel est le sujet choisi de cette quête d'une Histoire de mieux en mieux maîtrisée pour *être*, « le désir fera ouvrir nos bouches pour continuer notre histoire à livre fermé. [...] De débris de synthèse en fragments d'un pluriel », dont le dépassement de l'assimilation est une étape importante.

Les auxiliaires de ce désir de connaissance sont bien toute la mémoire clandestine et populaire, matrices de l'expression poétique de l'écrivain d'aujourd'hui et les entraves à contourner : les documents de l'Histoire officielle, obstacles à digérer autrement, obstacles à ré-apprécier pour faire apparaître d'autres soleils et d'autres sources, pour que les cendres des volcans ne recouvrent pas la mémoire caraïbe mais fertilisent les terres à habiter.

Quelque part, l'habitation est le lieu de création de l'Amérique. Ce que je veux dire par là, c'est que la lutte interne, ici et maintenant, devient la seule manière d'échapper à l'oppression. Il faut vaincre le maître et non se passer de lui. Il faut donc lui imposer des choses incroyables comme la liberté et l'égalité et non la rupture par son départ ou le départ de l'esclave libéré vers des cieux ancestraux ou plus hospitaliers. Cette perspective rejoint la question que se pose l'écrivain : Comment raconter cette Histoire d'une manière qui ne soit pas celle du maître ? L'égalité des uns et des autres est plus difficile à faire admettre et à mettre en pratique que l'exclusion de l'un par l'autre. Celui qui revendique la légitime possession de la terre n'est que le dernier venu. Il y a une illégitimité de l'origine. Il n'y a pas de pureté originelle, de paradis terrestre, de possession de droit. De la même façon que V. Placoly, je refuse qu'on m'enferme dans l'obligation qu'on me fait de raconter un seul côté, c'est-à-dire, de raconter et de me mettre du côté de la victime.

Le côté pervers de ce choix c'est de n'être jamais du côté de la victoire. Aux Antilles, dans le Tiers monde, on peut très bien se positionner en victimes éternelles du monde, depuis quatre siècles. On peut dire que l'Afrique est le continent des victimes et à la limite, c'est raciste.

Si je perpétue la position de victime, je perpétue, par voie de conséquence, la position de maîtrise.

Le but du roman est exactement l'inverse. Adrien met en garde Marie-Gabriel : « Être orpheline est le destin de tout être humain qui veut échapper au simple clonage de ses parents qu'ils soient là ou pas, au simple clonage de son Histoire. » Le travail du romanesque et de l'écriture rejoint la pensée fondamentale : « ces esclaves veulent-ils que tu portes témoignage de leurs souffrances ? N'y a-t-il pas derrière cela quelque chose d'autre, par exemple, l'histoire des résistances que l'écriture romanesque a généralement occultée ? On a bien parlé de la traite, de l'oppression mais on a peu parlé de la manière dont se sont fabriquées les Antilles d'aujourd'hui, de la manière dont on a fabriqué l'Amérique, de la manière dont les esclaves ont qualifié le crime de l'esclavage – non criminel jusque-là en tous points du monde –, avant de remporter la victoire de l'abolition. Le rôle des Noirs et des esclaves est essentiel dans cette construction. L'Amérique a été fabriquée par l'Europe et l'Afrique de manière concrète mais aussi dans la pensée, l'art, la créativité, les relations familiales. Tout cela est complexe et c'est l'Histoire de l'Habitation, de la plantation et du métissage.

Derrière le métissage biologique qui est presque secondaire, le vrai métissage est le métissage culturel, par lequel l'esclave libéré marque sa victoire sur le principe raciste de l'exclusion.

6

Un mythe revisité

Le mythe du Rebelle

Le mythe du Rebelle n'est pas spécifique à la culture antillaise. Dans toutes les aires culturelles, son cheminement est cernable puisque l'Histoire des hommes est faite de rupture, de refus, de détournement de l'ordre accepté par le plus grand nombre ou, du moins, de l'ordre auquel le plus grand nombre s'est résigné : « En Norvège, il avait "recours aux forêts" : il s'y réfugiait et y vivait librement mais pouvait être abattu par quiconque le rencontrait. » « Il serait aussi facile que vain de citer les "Rebelles" qui, à diverses époques, ont élu la solitude, la misère et le danger, plutôt que de reconnaître une autorité qu'ils tenaient pour illégitime »[1]. Ils s'excluaient d'un groupe librement, par choix ou protestation.

Dans la littérature antillaise, ce mythe accompagne la tentative que mènent les auteurs d'expliquer leur Histoire et d'impulser sa transformation par une interprétation mise en fiction. Reprenant les termes de J.-Y. Tadié sur la fonction du mythe dans le récit poétique, nous dirons que comme tout mythe, celui-ci

> « suppose la perfection de l'origine : il propose sans cesse un nouveau commencement. [...] Il est donc à la fois, mémoire et création, en définissant un passé qui a un avenir[2] ».

---

1. Ernst Jünger, *Traité du Rebelle ou le recours aux forêts*, Points, 1983, présentation par Henri Plard de sa traduction en 1951.
2. J.-Y. Tadié, *Le récit poétique*, PUF, 1978, p. 148. C'est nous qui soulignons.

Nous ne nous intéresserons pas à l'en deçà du mythe donc – au fait qu'il ait surgi ailleurs... et ici, reflétant sans doute les conflits fondamentaux de l'Humanité, qu'il ait puisé dans les mythes de l'Antiquité gréco-latine, européenne et latino-américaine et dans les multiples refus individuels qui marquent récits et chants de révolte de la littérature antillaise, à l'aura, en quelque sorte, de ce mythe antillais – mais à trois de ses variantes actuelles :

« La présence des mythes, écrit encore J.-Y. Tadié, est souterraine et se lit à travers certains épisodes de l'histoire, ou certains héros. Le mythe peut même éclater en une pluie d'étincelles symboliques[3]. »

Ces trois variantes du mythe nous apparaissent suffisamment représentatives pour nous permettre de saisir le paysage de cette construction symbolique, en pleine activité à l'image du volcan !

Mythe nouveau, créé en puisant dans une Histoire revisitée, mythe qui dit un devenir plus qu'un passé et est lieu d'affirmation de possibles et de désirs, essaimage de constantes et d'espoirs de luttes.

Le mythe du rebelle est un mythe universel. Mais, dans le cas des Antilles, l'essentiel ne part pas d'un mythe du rebelle comme il y aurait, par exemple, un mythe d'origine. Cela part, paradoxalement, d'une réalité qui est celle du nègre marron. La profonde, très réelle et très concrète image de l'esclavage s'est cristallisée autour de l'image du Marron comme révélateur de l'illégitimité de l'esclavage mais aussi comme celui des résistances à l'esclavage. Ces cultures sont preuves à leur tour des réalités de ces résistances. Le nègre marron apparaît comme la réalité la plus tangible de cette Histoire et de cette résistance.

... On a besoin de fabriquer ces héros statufiés, ces héros phalliques, ces héros purs qui ne négocient rien...

Ce n'est pas une raison – et c'est cela qui me gêne – pour faire de ce Marron le rebelle exemplaire, un personnage

---

3.   *Ibid.*, p. 147.

mythique. À mon sens, il est préférable de s'appliquer à rechercher quelle est la réalité du marronnage, sa fonction, son rôle dans la résistance pour nuancer sa construction mythique. Le Marron comme mythe de la rébellion absolue ? Le Marron n'accepte pas le monde et cherche à le fuir absolument pour recréer ailleurs un monde de liberté nouvelle et purifiée ; il n'a plus rien à voir avec ce que l'on peut appeler les mains sales de toute résistance et de toute révolte, c'est-à-dire, ce qu'entraîne la négociation de la liberté.

Lorsqu'on analyse la résistance, le Marron n'est pas seul : il est l'allié du résistant de l'intérieur, – G. et J. – la résistance extérieure et la résistance intérieure. Aucun des deux n'est inutile ni supérieur à l'autre. On a inventé cette histoire du rebelle absolu parce que certains n'admettaient pas l'idée de négociation ou celle du métissage des résistances entre les marrons libres et les esclaves prisonniers.

Les deux œuvres choisies, parallèlement à *L'Isolé Soleil*, sont la pièce d'Aimé Césaire, *Et les chiens se taisaient*, et le roman de Patrick Chamoiseau, *Chronique des sept misères*[4]. Mais on ne peut pas ne pas avoir à l'esprit aussi le Manuel de Jacques Roumain, le Henri Postel de René Depestre, Les personnages de Glissant : Marie et Pythagore Celat et Liberté Longoué, fille du « marron » Melchior, le Élie Caboste de Xavier Orville, le Ti-Jean de Simone Schwarz-Bart, les personnages de Max Jeanne, Chatam, Bolo et Soubadi « femme marronne » ; et toujours, le colibri.

Le Rebelle de Césaire et sa tragédie

En 1944, Aimé Césaire publie son poème dramatique. À ce commencement ... est le Rebelle : personnage central de l'œuvre, il

---

4.   Poème dramatique dans *Les Armes miraculeuses*, 1944. Remanié sous forme de tragédie en 3 actes, réédité au Seuil, collection « Points ». Le roman de Chamoiseau, Gallimard, 1986. (Les références de nos citations sont prises à ces deux éditions.)

est d'inspiration historique : Césaire est alors marqué par l'expérience haïtienne emblématisée par la figure de Toussaint Louverture. Déjà dans *Le Cahier d'un retour au pays natal*, cette référence historique était sollicitée :

> « C'est un homme seul qui défie les cris blancs de la mort blanche.
> (TOUSSAINT, TOUSSAINT LOUVERTURE) » (p. 69.)

Ce personnage du Rebelle est aussi allégorique. Il est le poète qui a foi en son peuple, au-delà des apparences. Le Rebelle, guide et levain, tient le devant de la scène. Dans l'univers de l'esclavage et de la colonisation, il est celui que l'on attend, « Où est celui qui nous montrera le chemin ? ».

Célébré puis, très vite, abandonné, il est solitaire et hostile à tout compromis.

Il tue le Maître malgré les supplications de la Mère : il se libère ainsi de sa servitude mais finit en prison. Il peut alors proclamer son identité :

> « Mon nom : offensé
> Mon prénom : humilié
> mon état : révolté
> mon âge : l'âge de pierre. »

Il se sacrifie malgré l'incompréhension des siens car il sait la fécondité de son geste qui inaugure le détournement du cours de l'Histoire telle que l'a voulue le Blanc :

> « Car si meurt le Rebelle
> Ce ne sera pas sans avoir fait clair pour
> tous que tu es le bâtisseur d'un monde de pestilence. »

Le Rebelle de Césaire, ce n'est pas le rebelle absolu. C'est à l'origine le bon esclave du maître : il est dans la plantation, à l'intérieur du système. Mais c'est l'intransigeance du maître qui le pousse à aller jusqu'à l'extrémité du meurtre. Il faut bien avoir à l'esprit qu'il n'y a pas de marronnage possible sans complicité à l'intérieur de la plantation dans les petites Antilles où l'espace de la fuite sans retour est mesuré.

Le Rebelle de Césaire, c'est celui qui engage la révolte totale contre le maître, qui a le courage de tuer le maître. Ce n'est pas du marronnage. Il est resté dans la plantation et n'a pas fabriqué une société dans la forêt. Sa prise de conscience brutale suivie de sa décision s'est faite lorsque le maître est venu au chevet de son fils et qu'il jaugeait son fils nouveau-né comme une belle pièce d'Inde pour le travail ou pour la vente plus tard. Le Rebelle ne fuit pas : il reste ici et maintenant et il agit.

On comprend que cette vision optimiste des lendemains... provoque l'image finale de la pièce : « la Caraïbe bleue semée d'îles d'or et d'argent dans la scintillation de l'aube ».

Il est difficile, en lisant la pièce, de ne pas penser au roman qu'écrit alors aussi Jacques Roumain et de ne pas mettre en parallèle Manuel et le Rebelle, portés par la même foi de leurs créateurs en un avenir de justice et de progrès.

Césaire avance lui-même deux sources de son texte : la tragédie grecque et le regard de Nietzsche. On peut y voir aussi les figures symboliques de Toussaint Louverture, mort dans une prison jurassienne après avoir mené les siens sur la voie de la première indépendance des colonies et celle du Christ au mont des Oliviers.

Pour ce rédempteur, comme pour ceux qui l'ont précédé, la seule issue est la mort : « Bien sûr qu'il va mourir le Rebelle. La meilleure raison étant qu'il n'a plus rien à faire dans cet univers invalide, confirmé et prisonnier de lui-même. »

Dans la suite des œuvres césairiennes, d'autres « rebelles » viendront plus concrètement alimenter le mythe du côté de l'Histoire avec Christophe et Lumumba ; et, du côté du symbole, avec Caliban.

De sa pièce, Césaire dit : « C'est la vie d'un homme, d'un révolutionnaire, revécue par lui au moment de mourir au milieu d'un grand désastre collectif. » Dans son théâtre, le Rebelle a toujours le double statut d'homme politique et d'intellectuel.

Chez Césaire, il y a toujours la solitude, « La plus belle des statues, la solitude »... J'avais étudié cela, j'en ai été marqué. Plus tard, dans le théâtre de Césaire, on peut remarquer que, dans ses quatre pièces, chaque héros solitaire se répond : le Rebelle, Le Roi Christophe, Patrice Lumumba et Caliban....

Quelles caractéristiques de ce mythe pouvons-nous isoler ici ? D'abord, bien entendu, la figure elle-même : le Rebelle en situation de refus. Refus d'une situation historique particulière contre laquelle il s'insurge, celle de l'esclavage et du colonialisme.

Sa protestation, par ailleurs, est solitaire (il est incompris des siens) et prophétique : « J'ai acclimaté un arbre de soufre et de laves chez un peuple de vaincus. » Sa seule issue est la mort.

Si nous nous inspirons de la méthode proposée par J. Rousset[5], pour étudier un mythe littéraire, nous pouvons avancer un modèle minimum, – que nous mettrons ensuite à l'épreuve des deux autres textes –, « constitué d'éléments distinctifs donc constants qui forment le scénario permanent » du mythe, les invariants. Pour ce mythe, ces trois invariants seraient : le Rebelle / le Refus / la Résolution.

Dans la pièce de Césaire, l'environnement socioculturel et géographique du personnage-support du mythe est celui de l'île antillaise. Toutefois l'espace et le temps sont traités sur le mode indiciel plutôt qu'informatif.

Le refus est refus de l'esclavage et du colonialisme mais surtout refus de tout ce qui opprime l'homme. L'issue que choisit le personnage, son acte de libération, est le meurtre du maître (le planteur béké) qui ne peut que le conduire lui-même à la mort violente.

Cette première « incarnation » antillaise du Rebelle est à la fois concrète et désincarnée, oscillant entre le symbole brut, l'allégorie et l'actualisation précise. Césaire utilise un réel vécu mais aussi des références culturelles larges pour dépasser le geste historique et rendre son personnage emblématique d'une attitude.

Du même coup, son Rebelle, dressé solitaire dans son refus, perd consistance psychologique et épaisseur historique. Contre les

---

5.   Jean Rousset, *Le Mythe de Don Juan*, A. Colin, U2, « Mythes », 1980.

blocages du réel, il est une figure poétique de dissidence et création ouverte au travail du mythe.

Avec les romans plus récents de Maximin et de Chamoiseau, écrivains d'une autre génération, le mythe littéraire franchit une étape : celle d'une plongée dans l'Histoire concrète et dans le quotidien narré : le mythe tente de prendre le réel à bras le corps.

Les rebelles de Maximin et la fraternité

Dans *L'Isolé Soleil*, le Rebelle est multiple, son actualisation s'opère dans des personnages, des symboles, des faits. En ce sens, on comprend que cette œuvre s'écrive, en partie, contre Roumain et Césaire : « Et tous ces Moi-je toujours seuls face au peuple silencieux. Littérature expiatoire. Littérature christique. » (p. 118.) Le Rebelle est présent dans tout ce qui atteste du marronnage, « car le marronnage est notre seule expérience de liberté conquise par la fraternité » (p. 45). Peut-on lire en écho à cette affirmation ce qu'écrit É. Glissant dans *Le Discours antillais* ? :

> « Le marronnage-Évidé de sa signification originelle (une contestation culturelle), il est vécu par la communauté comme déviance punissable. La communauté se prive ainsi de ce catalyseur qu'est le héros comme référence commune[6]. »

Si le mot clef du Rebelle césairien était solitude, celui des rebelles de Maximin est fraternité. Et pour dire et vivre cette fraternité, la mémoire reconstituée doit être prise en charge du passé et construction d'un avenir − selon la définition du mythe dans le récit poétique −, réécriture de l'histoire antillaise à la lumière du marronnage pour se créer une référence commune valorisante et donc imposer à l'autre, selon le vœu de Glissant,

---

6.   É. Glissant, *Le Discours antillais*, Le Seuil, 1981, pp. 154-195.

« l'image de notre réalité »[7]. C'est pour cette raison que Maximin privilégie le XIXᵉ s. et la moitié du XXᵉ s. car un de ses objectifs est d'« écrire pour faire revivre les pères disparus de notre histoire, depuis l'éruption de Delgrès jusqu'à celle du Boeing » (p. 14).

L'histoire du marronnage est l'humus même des rebelles et elle s'énonce et se construit :
– par le récit de gestes de rupture et de dissidence clandestine de la nature et des hommes : les mères esclaves qui étouffent leurs petits pour les soustraire à la mort de l'esclavage ; les suicides et empoisonnements collectifs, « pour s'arracher à l'esclavage par l'amitié de la mort » (p. 40) ; le maintien des rites et chants africains (yoruba) essentiellement assumé par Miss Béa, devineresse et guérisseuse ; l'évocation de figures légendaires comme celle de la câpresse Anaïs qui éduque les enfants des morts de 1802 (futurs rebelles, futurs dissidents ?). Dans le même registre que ces gestes de dissidence des femmes, d'autres forces marronnes sont mises en valeur : la Nature et les dieux. Ainsi le geste de Delgrès est qualifié d'« éruption » comme pour le volcan, la montagne Pelée célèbre l'anniversaire de 1802 à sa manière en explosant en 1902, Shango se met en colère ce qui se traduit par un tremblement de terre, le 25 mars 1897. Les différents dieux africains cités, Shango, Eshu, Ogoun, Woyengi et Ibéji, sont rebelles et au service de la dissidence...
– par le rappel de faits et de personnages historiques tirés de l'oubli et (ré)-interprétés : la falaise des Prêcheurs, suicide collectif des « Indiens caraïbes qui refusaient l'asservissement » (p. 62) ; la proclamation historique de Delgrès, le 9 mai 1802 ; l'explosion du Matouba, le 28 mai 1802. Comme l'écrit Glissant : « Le bruit de cette explosion ne retentit pas immédiatement dans la conscience des Martiniquais et des Guadeloupéens. C'est que Delgrès fut vaincu une seconde fois par la ruse feutrée de l'idéologie dominante, qui parvint pour un temps à dénaturer le sens de son acte héroïque et à l'effacer de la mémoire populaire. [...] Aujourd'hui pourtant nous entendons le fracas du Matouba.

---

7.   Des dieux africains sont cités, les Orisha (culte yoruba) : Shango, Eshu, Ogoun, Woyengi, Ibéji. Les dieux sont rebelles : ils sont une mémoire au service d'une dissidence et non au service du retour à l'Afrique.

Pour retrouver le temps de leur histoire, il a fallu que les pays antillais brisent la gangue que le lacis colonial avait tissée au long de leurs côtes[8]. »

Par son intervention poétique, *L'Isolé Soleil* amplifie en résonances multiples le « fracas du Matouba » ; ainsi les combats du Matouba sont décrits du côté des Nègres-marrons surtout et appréciés avec beaucoup de tendresse et de lucidité critique du côté de Delgrès tout imprégné des Lumières (pp. 55-57). L'organisation des Sociétés des Nègres-marrons et leurs actions sont (r)appelées avec précision ; l'insistance sur l'abolition de l'esclavage comme un acquis arraché et non octroyé (pp. 72,74,77,78) ; la date du 22 juin 1962 inscrite en blason inaugural, date à laquelle le Boeing 707 explose au-dessus de La Soufrière et où avaient pris place Paul Niger et Catayé, « 160 ans après l'éruption-suicide des rebelles de Louis Delgrès » (p. 13) et parallèlement avec la fin de la guerre d'Algérie.

En ce qui concerne les personnages historiques, l'admiration que la voix narrative peut éprouver ne se mue jamais en vénération car, pour elle, les luttes collectives et anonymes sont plus significatives ; par ailleurs il faut en finir avec la tradition de l'héroïsme et du suicide. Ainsi Georges écrit à son frère Jonathan :

> « Considère notre histoire et tu verras que nous avons toujours été victimes ou rebelles, que nous avons plié ou que nous sommes morts, mais qu'il manquait une issue à nos suicides et la durée à nos révoltes. » (pp. 44-45.)

Dans cette ré-appréciation du héros, le personnage privilégié est Delgrès à la fois admiré et jugé[9]. C'est autour de ce héros historique, poète, Martiniquais, mort en Guadeloupe que les personnages principaux, le trio d'hier (Siméa, Louis Gabriel et Toussaint) et le trio d'aujourd'hui (Marie Gabriel, Adrien et Antoine) organisent leurs débats.

---

8. Voir notre chapitre sur le conte du colibri. Les personnages liés au symbole du colibri ont maintenu et maintiennent la flamme de la révolte et permettent qu'émergent d'autres formes de lutte dans le réel et dans l'écriture.
9. Pour suivre Delgrès dans le roman, voir les pages 17, 18, 58, 59, 63, 91-95, 116, 117, 201-205.

Dans cette mise en texte problématique du mythe littéraire du Rebelle, d'autres personnages historiques sont sollicités mais plus ponctuellement (pp. 93 à 95) : Toussaint Louverture et Lumumba ont-ils préservé leur pureté par le suicide et l'assassinat ? Che Guevara n'a-t-il voulu être qu'un « exemple pour illustrer la tradition antillaise du suicide comme ferment révolutionnaire ou pour échapper lui aussi à la métamorphose du rebelle en dictateur » ? (p. 110). Que penser enfin de la liste des « soldats des désertions positives » : Garvey, Mac Kay, Padmore, Roumain et Fanon ?

Aucune des trois issues des Rebelles historiques ne satisfait le débat instauré par la voix narrative : mourir par suicide, par assassinat ou se battre ailleurs. À la manière du Rebelle de Césaire, Delgrès « a choisi de témoigner pour l'éternité ». Il n'a pas choisi de « se rendre, attaquer, résister. Dans le fort, dans la ville, dans la montagne : il avait le choix de l'espace et le choix du temps » (p. 201).

Est-il préférable alors de regarder du côté des figures historiques d'aujourd'hui ? Angela Davis et les frères de Soledad sont-ils les nouveaux marrons d'une Amérique blanche et/ou semblables aux rebelles pétris de culture populaire que le texte crée ?

> *Nous avons toujours les trois tentations : la rébellion absolue, la résistance (le marronnage intérieur) et l'assimilation. Par exemple, aujourd'hui, La première se thématise avec le mouvement Rasta par le mythe du retour à l'Afrique, la lutte contre Babylone, contre les compromissions avec comme corollaire, le retour en Éthiopie comme paradis terrestre. Et pourtant, c'est la musique qui a le plus vulgarisé cette attitude et elle utilise les instruments les plus modernes, non les tambours traditionnels mais la guitare électrique et la batterie. Cela ne pouvait être un rêve politique militant, ce n'était qu'un mythe qu'on cherchait à vivre, sans véritable ancrage avec le réel.*

Ce rebelle multiple, quelles sont finalement ses marques ? Elles sont essentiellement la conjonction de la révolte et du marronnage comme dissidence constante et quotidienne et s'impriment dans le profil de personnages de fictions ou de quelques personnages référentiels valorisés par une qualification reprise aux contes populaires, comme Colibri ou Pélamanli-Pélamanlou.

Ainsi sont marqués du signe du colibri : Marie-Gabriel, Siméa, Angela, Toussaint, Georges et Jonathan ; et du côté du référentiel, Delgrès, Étienne Léro, Rimbaud, Angela Davis et les frères de Soledad.

Sont marqués du signe des jumeaux terrassant la Bête-à-Sept-Têtes : Marie-Gabriel et Adrien, Louis Gabriel et Siméa, Georges et Jonathan, les frères de Soledad.

Ces différents personnages, particulièrement valorisés en texte, sont liés les uns aux autres par les médiateurs de parole ou les conteurs : le père d'Adrien, les poètes et surtout la chaîne de transmission féminine constituée par Ti-Louise, Ti-Carole et Marie-Gabriel.

On voit bien que si « les contes sont la prophétie de notre meilleur avenir » (p. 218), ils indiquent le chemin du mythe car les personnages qui leur sont liés ont maintenu et maintiennent la flamme de la révolte et permettent qu'émergent d'autres formes de lutte dans le réel et dans l'écriture.

Nous-mêmes commentateurs plus que lecteurs de notre Histoire, nous avons fabriqué une histoire fausse, celle qui affirme que seul compte le rebelle absolu, que, dans la plantation, rien ne s'est passé. La libération est tombée un jour, on ne sait comment puisque ce ne sont pas les marrons qui ont fait une guerre de libération contre les plantations. Cette manière d'envisager les choses nourrit notre incapacité à prendre en compte la réalité de ce qui s'est passé parce qu'on ne sait pas reconnaître le combat de tous les artisans de cette libération. Alors parfois, on accrédite l'idée que cette libération, c'est le maître – Schoelcher, par exemple – qui l'a décidée pour préserver, par ruse, son intérêt en « humanisant » notre condition ? Ou que la seule action d'anciens maîtres convertis à l'humanité qui a amené l'abolition ? Et on renvoie plus une image de soumission qu'une image de résistance. Dans cette perspective, l'homme invisible, c'est le rebelle intérieur, celui qui a fait l'abolition de l'esclavage en réalité. Ni l'Europe, ni le marronnage absolu. Nous avons nous-mêmes à penser le bâtard comme auteur de l'Histoire.

Pour en revenir à la notion d'invariants proposée par Jean Rousset pour circonscrire l'évolution d'un mythe littéraire d'une œuvre à l'autre, on peut avancer que les contes fonctionnent comme marques de reconnaissance de notre premier invariant : le Rebelle. D'autres marques balisent notre reconstruction du mythe et renforcent nos analyses précédentes. Ces autres marques sont le proverbe et, plus précisément, le proverbe 12, « Voyage vers le village où tu n'as pas ta maison, mais voyage avec ton toit », proverbe des Nègres-marrons qui intervient par quatre fois à des moments forts du texte : la première fois, il vient conclure et appuyer la position de Jonathan dans son échange avec Delgrès juste avant de mourir. Deux conceptions de la révolte s'affrontent, celle qui prône l'héroïsme et le suicide et celle qui défend la résistance et la vie. Le proverbe revient ensuite pour souligner la décision de Siméa de rentrer au pays (p. 159) puis la désigne comme femme marronne (p. 164). Il revient enfin comme ultime message de Marie-Gabriel (p. 308).

Après le conte et le proverbe, la musique est la troisième marque de reconnaissance : le tambour-Kâ bouleverse Louis-Gabriel le soir du carnaval, cette musique « soigneusement tenue à l'écart de vos enfances civilisées, avec le parler créole et la forêt : la musique, la langue et le terrain du marronnage » (p. 233) ; c'est lui qui incite le musicien à une époustouflante improvisation de jazz, libérant le désir de création. Déjà l'ancêtre Nègre libre, Georges, avait créé la meringue haïtienne (pp. 46-47) ; Delgrès a déclenché l'explosion de 1802 en jetant le violon de Georges. La généalogie de Marie-Gabriel est truffée de musiciens. Louis-Gabriel, le père, et Antoine, l'ami, sont les musiciens par excellence : « Est-ce que la musique n'est pas la seule liberté que nous ayons véritablement conquise jusqu'ici depuis les trois siècles de notre oppression ? » (p. 189.)

Une quatrième marque de référence du rebelle est l'espace où il s'inscrit. *L'Isolé Soleil* fait peu de place aux descriptions car l'espace n'est pas un décor mais une force du récit, signe symbolique d'une géographie qui s'enracine dans l'ici et non dans l'ailleurs nostalgique de la terre africaine : « décrire la nature tropicale non pas comme un décor, mais comme un personnage de ton histoire, qui a aussi ses révoltes et ses lâchetés » (p. 17).

Le mythe, lui, ne transige pas. Il ignore la négociation. Il faut dire aussi que le marronnage absolu n'est possible que s'il y a la place pour aller marronner. Comme en Guyane ou dans les Grandes Antilles. Pour l'absolu, il faut un espace infranchissable à traverser : la forêt, le désert, le fleuve, la mer. Pour nous, Antillais, la mer est le seul espace fournisseur d'absolu via, cependant, la mort et le suicide, car nous n'étions pas les maîtres des navires et des navigations, étant majoritairement, hommes des savanes ou des forêts d'Afrique. Le plus court chemin vers l'Afrique était la noyade en mer.

L'origine est la Désirade, « dernier exil des rebelles caraïbes », là où Miss Béa a mis au monde ses jumeaux, de son union avec un Nègre-marron de Louisiane. Puis, c'est l'habitation des Flamboyants, car de là, par deux fois, a retenti l'appel « pour la révolte des esclaves libres éparpillés dans les sentiers du marronnage ». C'est, après 1802, tout ce qui est au-delà des habitations et des plantations que le Blanc déclare « terre des rebelles » (p. 68) : le volcan, qui revient comme un leitmotiv, la forêt, espace par excellence du marron ; résistance des forêts, forêt marronne, forêt-refuge.

« La forêt du marronnage, écrit É. Glissant, fut ainsi le premier obstacle que l'esclave en fuite opposait à la <u>transparence</u> du colon. Il n'y a pas de chemin évident, pas de <u>ligne</u> dans ce touffu. On y tourne sans transparence, jusqu'à la souche première[10] ».

La cinquième marque de dissidence est faite d'objets symboliques dont le retour est fréquent dans la narration : le tambour-Ka, le bracelet à proverbes qui passe de Jonathan à Delgrès, de Delgrès à Ti-Carole qui elle-même le transmet : don de rebelle à rebelle... La bague enfin, bague d'Angela violée et mutilée trans-

---

10.   É. Glissant, *op. cit.*, p. 150.

mise par Jonathan qui l'a reçue de sa mère et qui parvient à Marie-Gabriel par la médiation de l'Arbre : contrat d'alliance, contrat de marronnage, contrat d'écriture :

« Les seules révoltes justes sont celles porteuses de création. [...] La poésie jusqu'au bout sans faillir ni se taire doit pratiquer la dissidence. » (pp. 172-173.)

Dernière marque enfin, dernière identification du rebelle : le chiffre. Adrien répond, par des calculs, à Antoine qui monte *Et les chiens se taisaient* et qui s'interroge sur les 306 ans dont parle le Rebelle :

« a)   1 496   (découverte de l'île)
   +   306
   = 1 802   (le Rebelle est Delgrès ou son contemporain)

  b)   1 635   (début de la colonisation française)
   +   306
   = 1 941   (le Rebelle est Césaire ou son contemporain) »
                (p. 299).

Mais il ajoute – remarque essentielle pour le glissement du Rebelle au dissident par lequel nous essayons d'exprimer ce travail interne de redéfinition du mythe – : « À propos, que Marie-Gabriel se rappelle les paroles de l'amante de l'Acte 2 : "Avoue, tu joues à te sculpter une belle mort ; mais je suis celle qui se met au travers du jeu et qui hurle". »

Je féminin : celle qui écrit, celle qui entrave le jeu officiel et le jeu du Rebelle héroïque, rejoint alors Siméa et son avortement, image de la dépossession d'identité maîtrisée par le dédoublement qui, à l'image du marronnage, fait naître au cœur de l'être un double authentique qui l'ancre dans une identité assumée. Je féminin qui impulse la signification de la nouvelle conjugaison : je, tu, île, aile.

L'appel de Siméa à Gerty prend alors une autre dimension : « J'ai besoin d'une main de femme, de femme soleil, de soleil noir, de Noir bien nègre, de Nègre bien marron pour ma défense, ma légitime défense. » Femme issue des mères qui ont des racines et qui portent des fruits. Femmes qui échangent avec il, ils, île, leur féminité, cette dimension de l'être enfouie en chacun et que les sociétés répriment.

Pas de morts exemplaires, pas de suicides magnifiques mais le présent à vivre et à continuer : « Et ni passés à l'autre, ni revenus au même, nous savons que nous sommes présents comme le verbe être. » (p. 310.)

C'est donc le risque de vivre en assumant toute son identité, d'inventer un avenir « sans trop attendre du passé africain et du présent d'Europe » (p. 212) que propose le texte.

Le marronnage absolu était une fuite, une volonté de couper les ponts, de n'avoir aucune relation avec le monde de la plantation, y compris culturellement. Il n'y a pas eu de métissage. Les marrons voulaient retrouver au maximum la mémoire originelle africaine. Et leurs sociétés ont formé, notamment en Guyane, des résidus persistants d'Afrique avec peu d'influences créoles.

Les deux romans suivants accentueront encore cette orientation : le Toussaint de *Soufrières* apparaît comme un être détruit parce qu'entravé par une appréhension trop étroitement politique de son rapport au monde. Et comme ses ancêtres, il semble qu'il ne puisse que mourir ... en rebelle, c'est-à-dire en se suicidant :

« Quant à Toussaint : bien sûr qu'il veut mourir en rebelle, Élisa, et ce n'est pas la noyade des Chiens [allusion à Césaire] qui l'empêchera de tenter sa sortie d'une histoire qu'il n'a jamais voulu lire en fragments, comme s'il était déjà sûr d'être au rendez-vous final. Et ce n'est pas le genre de terroriste à survivre à sa terreur. Plutôt mourir brûlé vif que la tête étouffée. » (p. 264.)

La compassion et la condamnation sont toujours aussi vives sous la plume de l'écrivain.

Il reste encore d'autres « rebelles » qui conjuguent explosion de révolte et refus : La Soufrière, Élisa, les enfants fous. C'est pour eux que Marie-Gabriel, qui a traversé cette révolte sans issue, écrit la lettre à Élisa : « Toi et moi, nous n'avions rien et nous avions tout perdu, mais cette folie est plus fructueuse pour composer un avenir à notre île aux trésors de feu en volcan, d'air en cyclones, de terre en tremblement et d'eau en raz-de-marée. » (p. 112.)

> *Pour moi, les femmes sont dans le réel et échappent plus à ce genre d'illusion. Elles sont porteuses de vie et savent qu'il faut affronter le réel et non le fuir. Ces « traîtresses », victimes du viol, fabriquent l'enfant mulâtre et sont déclarées coupables de sa conséquence, mères porteuses de l'enfant bâtard : même à son corps défendant, la femme est alors la médiatrice. Au pire, elle est souillée, au mieux (ou au moins) elle est signe charnel de la bâtardise et du métissage imposé.*
>
> *À ce titre, le personnage de Solitude est exemplaire : elle retourne vers les marrons pour retrouver son africanité et fuir la médiation qu'elle représente. Mais elle ne peut pas parce qu'elle est mulâtresse, parce qu'elle a déjà le signe du métissage. Elle n'est pas une pure africaine ; elle ne peut laisser tomber la plantation qui est en elle. « Deux yeux »... on comprend pour quoi elle est rejetée de part et d'autre car elle symbolise le signe de la mise en danger, de la mise en question de la pureté. C'est le rejet du métis. À ce sujet, il ne faut pas mythifier l'esclave : le Noir arrivait avec ses idées sur les rapports hommes / femmes sur les rapports sociaux, sur le rapport aux dieux. Les sociétés marronnes ont reproduit des rapports de force, des rapports de tradition, africains. La meilleure preuve en est qu'aujourd'hui des ethnologues vont chercher en Guyane des permanences de certaines traditions de Côte-d'Ivoire perdues aujourd'hui en Afrique par la modernité et par le contact avec d'autres, l'islam, le voyage...*

Nous voyons le mythe se préciser et se transformer. Il semble bien correspondre, par sa vitalité, aux définitions d'André Dabezies sur le mythe en littérature :

> « Une illustration symbolique et fascinante d'une situation humaine exemplaire pour telle ou telle collectivité [...] pour laquelle il exprime et éclaire un aspect de l'existence, soit en

justifiant une situation, un trait de la condition humaine, soit en proposant une démarche active, un exemple à imiter (ou non), une norme morale ou un projet révolutionnaire[11]. »

C'est bien ce que nous trouvons ici dans cette figure du rebelle et du dissident à travers la silhouette du marron.

Le mythe n'est pas le texte littéraire mais, dans *L'Isolé Soleil*, une configuration exerçant sa fascination sur un public en mettant en scène des personnages, des décors et des objets symboliques valorisés où s'investit une croyance. Il a bien une structure dynamique combinant épisodes, acteurs et situations selon une dialectique chaque fois originale : cette structure dynamique est un des ressorts les plus constants de la littérature qu'elle réintègre d'anciens mythes ou qu'elle en propose de nouveaux.

Les rebelles de Chamoiseau et la marginalité

D'entrée de jeu, dans ce roman, de nombreux personnages de marginaux – en plus du personnage principal, Pierre Philomène dit Pipi –, imposent la marginalité comme forme de la dissidence. Ils sont associés au colibri, à la mort et à la folie.

C'est tout d'abord le Nègre Phosphore, plongé, nous dit-on « dans l'état du colibri soûl » (p. 25), fossoyeur qui dialogue avec les morts. Son fils Anatole-Anatole qui le rejoint au cimetière devient un dorli, au moment venu. Il est le père de Pipi.

C'est ensuite Alphonse Antoinette dont la musique attire les colibris et ... Clarine. À sa mort, de son cadavre s'échappe « une vibration cosmique qui hypnotisa à vie – apa kouyonnad – deux mille trois cent dix sept colibris » (pp. 51-52). Pipi deviendra l'ami de Clarine.

C'est enfin Kouli, fils du couli-rebelle qui a tué le béké. Kouli est un lutteur renommé. Au sommet de sa gloire, le vieux nègre

---

11.   André Dabezies, *Visages de Faust au XXᵉ s., Littérature, idéologie, mythe*, PUF, 1967, p. 507, et *Le Mythe de Faust*, A. Colin, U2, « Mythes », 1972, p. 5.

Hep-là raconte pour le rappeler à l'ordre, le conte du colibri oublieux (pp. 92-93) qui change le cours de sa vie : « Je ne suis pas un colibri oublieux moi, et j'ai pas oublié que les gendarmes ont abattu mon papa comme un chien enragé. » Il sera lui-même abattu par eux. C'est le père d'Anastase dont Pipi tombe amoureux sans espoir et pour laquelle il deviendra fou. Ces trois figures annoncent le « héros », vers lequel converge l'intérêt du roman. Dans un premier temps, Pipi est bien célébré comme le héros : roi des djobeurs, il s'est imposé dans sa profession. En ce qui concerne le mythe du rebelle, le récit devient plus intéressant lorsque, éconduit par Anastase, Pipi se laisse manger par la fièvre de l'or et décide de s'emparer de la jarre d'Afoukal, l'esclave zombi, assommé par son maître. Délaissant le marché et donc « l'aujourd'hui », Pipi s'allonge des heures dans la clairière d'Afoukal − le lieu du marron réapparaît −, s'habituant aux allées et venues dans la clairière : « ces troupes de nègres-marrons, flous comme de lointaines fumées, qui venaient rire sur la tombe d'Afoukal, se moquer de sa docilité, lui reprochant de ne s'être pas enfui comme eux. » (p. 132.) Ainsi la remontée de la mémoire commence, pour Pipi, dans la clairière, la nuit − temps privilégié du marron, du clandestin, du dissident − : « Il auscultait ses rêves à la recherche d'Afoukal, des paroles qu'il aurait pu lui avoir dites. » Ce dernier ne lui apprend rien sur la jarre et l'or mais lui apprend tout « de la vie des plantations sous l'esclavage ». C'est alors que le « don » d'Afoukal, ses dix-huit paroles, s'inscrit en texte. Au départ récalcitrant, Pipi oublie peu à peu l'or pour se laisser entraîner par son histoire, l'histoire de son peuple :

> « C'est par là que Pipi remonta sa propre mémoire fendue d'oubli comme une calebasse et enterrée au plus loin de lui-même. [...] Il se laissa emporter par cette rumeur amère, ce chuchotement sinistre qui montait de sa nuit. »

Les dix-huit paroles d'Afoukal synthétisent le « trésor » de la culture antillaise. La parole 1 s'énonce après la capture, donc après l'Afrique, avec le marronnage et le créole : « Ils étaient si différents qu'ils inventèrent le début de ta parole pour bien nous lier ensemble. » La parole 2 dit ensuite la perte du nom et l'invention d'une autre identité. Après un tel bouleversement nominal, l'ancêtre Rebelle ne peut être qu'anonyme. La parole 3 dit la mort vivante qu'est l'esclavage, « cette lente noyade » et la parole 4, la rupture, l'autre vie à la descente du bateau. Tous les moments de la non-vie de l'esclave sont rappelés : les maladies, les étouffements de nouveau-nés, le saut-suicide des Caraïbes, la résistance des papas-feuilles par le poison pour tuer le maître.

Les paroles qui viennent plus loin – 13,14,15 – sont essentielles pour notre étude : la petite marronne, de l'ordre de la fugue, aux abords de l'habitation, qui dure environ six mois ; la grande marronne qui demandait beaucoup de courage : « ceux qui y sont déjà ne viennent pas à toi : ils attendent que tu viennes à eux pour montrer que tu es digne d'être un des leurs. » Ces marrons bougent peu le jour et attaquent les habitations, la nuit. Quand vient l'instant de tuer le Maître en face, c'est le « moment privilégié pour te savoir nègre-marron ou pas ». Ou tu le frappes ou il te tue. Il y a enfin « la grande marronne effectuée en solitaire loin des bandes ». C'est dans cette parole 15 qu'apparaît le portrait le plus valorisé du Rebelle :

> « Ah ces nègres-marrons du silence ! Plantés comme des arbres, au plus loin des razziés, ils bougeaient si peu que les araignées encerclaient leur domaine de longs rideaux crémeux. Quand on les croisait dans les bois, ils avaient le sourire triste, les gestes lents, les yeux hagards de ne pas trouver de sens à ce qui nous arrivait. Le silence leur permettait d'entendre la terre. De comprendre les feuilles. Ils soignaient les blessures des bandes et repoussaient les ma-pians. Ils paraissaient solides comme du bois-bombe, rugueux comme des bas de falaises, bien plantés mais en dérive. C'était la plus digne des misères. Troublées, les négrittes marronnes rôdaient autour de leurs cases, ou s'asseyaient aux alentours jusqu'à ce qu'ils les appellent pour les engrosser. Les bandes s'augmentaient de leurs enfants aux regards sombres, dévastés, plus chauds et lointains qu'un souvenir du Grand-Pays. » (pp. 145-146.)

Les dernières paroles enfin, disent toute l'ambiguïté du rapport du maître et de l'esclave.

Après cette récupération de mémoire, Pipi change de regard (p. 149). Au marché, les histoires fabuleuses d'Elmire ne l'intéressent plus autant : c'est lui qui se met à conter l'Histoire vraie, celle des résistances de Tripe, nègre-marron, de Bordebois et ses 48 nègres rebelles, de Séchou, rassembleur des Nègres et des Caraïbes. Ceux qui l'écoutent, sentent une parole familière qui les plonge dans la tendresse et l'amertume. Un des djobeurs en « tournoyait comme un colibri mouillé ».

Ces longues stations dans la clairière instaurent une familiarité entre Afoukal et Pipi : digne fils et petit-fils de dorlis, il converse avec les morts. Il s'engloutit littéralement dans la nature, son regard devient dément. Nourri par les Rastas, tribu qui « réinventait notre vie à quelque pas de là » (p. 155), Pipi est pris pour un papa-quimboiseur : on vient le consulter. Il se prête au jeu puis se fâche lorsqu'il en est lassé ! Les partis politiques veulent l'enrôler mais il les insulte tellement qu'ils doivent battre en retraite et le narrateur commente avec humour : « il leur parut préférable de le laisser symboliser à son insu, sauvagement, mais en toute liberté. » Peut-on penser qu'il devient alors le grand marron solitaire ?

Sur le point de mourir, il est sauvé avec énergie par Marguerite Jupiter qui le prend dans sa case et le fait soigner par un papa-feuilles, impressionné « par le grand sorcier de la clairière maudite ». La science du papa-feuilles est longuement exposée, insertion qui valorise tout un pan de la culture clandestine. Marguerite Jupiter parachève le travail et Pipi retrouve toute sa santé. Il s'attaque alors à la misère en faisant fructifier le jardin, aidé à nouveau par des Rastas. Parallèlement, il reprend son récit pour les seize garçons Jupiter, transmettant l'Histoire et rectifiant les préjugés courants sur la « malfaisance » des nègres-marrons par exemple. Il imagine ensuite les aventures de Séchou, ce qui plaît aux enfants : « enrichissant de mythes la réalité, il galvanisait durablement les enfants qui s'identifiaient mieux aux nègres rebelles dans leurs jeux de guerre et de courage. »

Il lui faut poursuivre la lutte contre la faim en même temps que celle contre l'oubli. Aidé encore par les Rastas, il s'empare des secrets de la terre (pp. 172-173). Le jardin devient magnifique : partis politiques et député-maire, – Aimé Césaire –, s'intéressent à lui :

« les partis politiques indépendantistes et autres grappes de nègres en petite marronne lui décernèrent des médailles [...] sans qu'il y comprenne hak il était devenu une fois encore la référence majeure des organisations anticolonialistes du pays. » (pp. 176-177.)

Quand Césaire le baptise « Martiniquais fondamental », « Pipi devint ababa » et n'arrive plus à trouver un mot de français pour faire face !

La prise en mains, par des techniciens et ingénieurs, du jardin miraculeux dérègle Pipi et son savoir empirique : c'est la chute ! Marguerite Jupiter le jette par la fenêtre. Pipi retourne à sa clairière (p. 183). Sa chute est vraiment irrémédiable comme celle du marché qui ne fait plus le poids face aux supermarchés.

Ce récit, rapidement esquissé, est construit à partir d'anecdotes surréalistes – l'envahissement du marché par les rats – ou merveilleuses – l'apparition des trois chabines, marchandes spectrales « mirage du temps longtemps » –. Pipi devient un champignon dans la clairière puis herbe et pourriture. Des médecins de Colson viennent enregistrer ses délires : ce sont les Rastas qui racontent aux djobeurs ces transformations de Pipi, « sorte de racine frémissante [...] en dialogue avec la terre » (p. 188).

Désormais, le dialogue s'est inversé : c'est Afoukal qui pose les questions pour savoir comment les hommes d'aujourd'hui règlent leurs problèmes : multiplicité des races, des langues, « les deux langues qui vous écartèlent ». Il se fâche lorsque Pipi parle de « retour à l'Afrique ». Ce pays n'existe pas ou plus. La dernière parole d'Afoukal, avant que Mam Zabyme vienne prendre Pipi, est celle de la reconnaissance du passé : « les vieux nègres d'ici croient encore que toutes les jarres plantées en terre contiennent des trésors... Ils ont raison, mais ils oublient que toutes les richesses ne sont pas d'or : il y a le souvenir... » (p. 210.) Car, dans la jarre d'Afoukal, il n'y a rien et elle tombe en poussière.

L'aventure de Pipi dans la clairière est donc bien une parabole de la récupération identitaire, l'ouverture du livre de la mémoire : l'objectif est sensiblement le même que celui que nous avons vu à l'œuvre dans l'Isolé Soleil même si les moyens narratifs sont très différents. L'Histoire fondatrice, l'Histoire de l'origine à assumer est semblable, comparable : non le retour à l'Afrique mais la prise en charge de l'esclavage avec lucidité dans ses héroïsmes – le Rebelle, le Grand marron solitaire – et ses ambivalences – les esclaves aliénés au maître.

Pipi ne fait que la moitié du chemin : il récupère une mémoire, fait une tentative de vivre au présent mais, au premier échec, refuse le combat et se perd. Son aventure est valorisée à différents moments par le créole, la médecine traditionnelle, par exemple. Les Rastas, sur lesquels le récit revient avec insistance, sont-ils les nouveaux marrons, eux qui subissent aujourd'hui la même exclusion sociale que les marrons d'hier ? Le discours dominant en impose une image qui, par bien des aspects, correspond à celle du marron dénoncée par Glissant : « bandit vulgaire, assassin seulement soucieux de ne pas travailler ». Ce que l'on constate c'est que le roman de Chamoiseau les présente sous un jour très favorable : ils sont ceux qui ont su reprendre le dialogue avec la terre de ce pays, référence forte de revendication actuelle :

> « Dans le mépris le plus total, alors que nous la délaissions, les Rastas avaient renoué l'ancestrale connivence de l'homme avec la terre. Riches d'humilité, d'une simplicité d'humus, ils s'étaient introduits dans l'harmonie des bas-bois, des insectes, des razziés, du ciel et du sol, récoltant une science naturelle. Ils acceptèrent Pipi avec leur bienveillance habituelle envers ceux qui venaient les trouver. Pipi apportait le coup de main à leurs cultures, et eux lui fournissaient des trésors d'indications sur la vie du sol, le fonctionnement des plantes, des racines, des existences vertes qu'une énergie tellurique projetait vers le soleil. [...] Pipi devint, comme certains Rastas, expert végétal, artiste agricole. » (pp. 172-173.)

Est-ce parce qu'il n'a pas respecté le rythme de la terre que Pipi est sanctionné par la destruction de son jardin ? Forcer la terre est un geste que les Rastas n'ont pu accepter. Leur résistance s'exprime dans une « économie de subsistance » qui a ses limites mais qui témoigne aussi du maintien d'une unité culturelle par des solutions autres que celles qu'impose le pouvoir[12].

---

12.   Sur les marrons, p. 104, sur l'économie de survie, pp. 67-68.

Il est possible, au terme de cette triple analyse, de regrouper nos remarques pour apprécier les trois invariants dessinant ce mythe littéraire du Rebelle et son actualisation selon les œuvres.

Le premier invariant, le Rebelle, est caractérisé chez Aimé Césaire par la solitude et son profil est celui d'un prophète ; c'est aussi une victime expiatoire. C'est un personnage allégorique et emblématique rappelant par bien des points le militant et l'intellectuel.

Chez Maximin, le maître-mot des rebelles est la fraternité. Du singulier au pluriel, la représentation en texte du Rebelle se diversifie tant dans des personnages historiques comme Delgrès – riche à la fois d'héroïsme et d'idéalisme, à la manière du Rebelle de Césaire – que dans des personnages de fiction comme ceux des marrons – efficacité et clandestinité –, de Nègres libres et dissidents – comme Miss Béa et ses jumeaux –, de personnages du présent comme Marie-Gabriel, Antoine, Adrien, Louis-Gabriel, Siméa, Toussaint, etc.

Dans l'univers de Chamoiseau les rebelles sont multiples également. Toutefois leur maître-mot semble être celui de la marginalité aboutissant parfois à la folie. Ce sont les dorlis, le musicien, le Kouli, les djobeurs et les marchandes. Ce sont, bien sûr, Pipi et les Rastas, tout un univers de la dissidence.

Le second invariant est celui du Refus. Ce refus, chez Césaire, est celui de l'esclavage, du colonialisme, de tout asservissement de l'homme par l'homme. Chez Maximin, c'est aussi tous ces refus-là mais plus concrètement celui de l'Histoire officielle : aussi l'écriture s'engage-t-elle dans une réécriture de l'Histoire clandestine en partant des mutineries des esclaves, des révoltes et du marronnage et en élargissant la définition du marronnage à toutes sortes de signes et gestes qui disent la lutte des Antillais sur leur propre terre. Le marronnage est ainsi redéfini par le patrimoine, la féminité, l'écriture, la musique : c'est une autre société qui est révélée. Chez Chamoiseau, le refus est refus de la misère et de l'ordre colonial qui la cultive par des actions d'ordre symbolique dont la plus emblématique est la recherche de l'or dont on comprend qu'elle est récupération de la mémoire et de la terre.

Le troisième et dernier invariant est ce que nous avons appelé la Résolution. Le Rebelle, dans une position de Refus, agit. Chez

Césaire, on assiste au meurtre du Maître. Le Rebelle est emprisonné et exécuté dans le silence des siens. Sa mort est un sacrifice nécessaire pour faire naître une conscience de lutte. Chez Maximin, cette résolution est contestée, nous l'avons vu. Il faut échapper à cette fascination du suicide ou de l'assassinat par une survie quotidienne, ici et maintenant, en récupérant ce que l'on est dont l'espace de la plantation qui fait partie du patrimoine que le descendant d'esclave doit assumer et par rapport auquel il doit prendre une distance critique ; il ne doit ni le fuir, ni le gommer. Chez Chamoiseau, la Résolution semble la survie dans une vie marginale, dans une économie de subsistance, miroir de l'économie du marronnage dans une vie quasi clandestine en marge de la société « officielle ».

Nous sommes donc bien en présence d'œuvres qui dotent « de moyens nouveaux la lecture du réel historique de nos pays » comme le souhaitait Jean Bernabé[13]. Mythe et Histoire ont partie liée car un mythe vivant est une histoire vraie puisqu'il « fait connaître l'horizon des choses »[14].

Consistance et épaisseur, densité dans l'actualité ont été données au Rebelle de Césaire qui avait ouvert la voie, par la plongée récupératrice dans le marronnage et la dissidence comme mythe de l'origine et conduite du présent. Avec Maximin et Chamoiseau, le mythe échappe à la référence savante pour naître « sous chacun de nos pas » selon l'expression de Louis Aragon[15].

Le mythe du Rebelle n'est pas un modèle mais une origine, un ressourcement et un horizon de dissidence à adapter au présent. Nous pourrions conclure avec Glissant, une fois encore : « Le mythe non seulement préfigure l'histoire et est parfois producteur d'histoire mais semble préparer à l'Histoire, par généralisation[16]. »

---

13.   Jean Bernabé, « Le travail de l'écriture chez Simone Schwarz-Bart », *Présence Africaine*, n° 121-122, 1ᵉʳ et 2ᵉ trim. 1982, p. 179.
14.   J.-Y. Tadié, *op. cit.*, p. 148.
15.   Dans *Le Paysan de Paris*.
16.   É. Glissant, *op. cit.*, p. 151.

7

Féminité et résistance

La littérature a-t-elle transmis la mémoire de ces femmes réelles du passé, femmes « banales », concubines, ménagères qui ont vécu le quotidien de l'esclavage comme Fanchon ou Rose, – prénoms, parmi tant d'autres, rencontrés dans l'ouvrage d'Arlette Gautier sur les femmes esclaves[1] –, femmes héroïques parvenant à affirmer leur différence et à imposer leur étrangeté comme Annaïse ou Solitude[2] ? De cette dernière on lit dans Oruno Lara : « Tous

---

1. Arlette Gautier, *Les sœurs de Solitude. La condition féminine dans l'esclavage aux Antilles du XVIIᵉ au XIXᵉ siècles*, Paris, Éditions Caribéennes, 1985, pp. 166 et 170. Analyse remarquable et pionnière concernant cette question. Elle a rencontré nos préoccupations de littéraire en leur apportant la rigueur des documents et de la reconstitution historique.

2. A. Schwarz-Bart, *La Mulâtresse Solitude*, Seuil, Points, pp. 78-79. Du 23 août 1787, jour de son achat par le Chevalier de Dangeau au 7 mai 1795 où les troupes de la Convention annonçaient l'abolition de l'esclavage en Guadeloupe, la vie de Solitude connaît un répit dans la demeure de ce Maître qui la met aux cuisines et ne la fait venir au salon que pour chanter. Détachée de la vie, l'âme ailleurs, elle connaît là, sinon la sérénité, du moins une suspension de la misère (pp. 84-85). Combattante-zombi, se jetant corps perdu et âme ailleurs dans le combat contre les Blancs, plus mythe qu'Histoire, plus légende que mythe, elle symbolise par son corps multiple, métisse, mêlé de Rosalie-Deux âmes-Solitude, le destin écartelé des Antillais : « Le cavalier découvrit deux grands yeux transparents, de couleur différente et qui semblaient plantés à l'intérieur d'un visage de cendre et de soie, le sibyllin visage d'une enfant morte » (p. 78). Sa mort est légendaire : « Et, renversant la tête en arrière, laissant aller les globes somptueux de ses yeux – faits tout bonnement par le Seigneur, dit une légende, pour refléter

ces beaux esclaves [...] semblaient la croire autre, essentiellement autre, et certains disaient qu'elle n'avait plus d'âme[3]. »

« Écrire sur les femmes esclaves, souligne Arlette Gautier dans *Les Sœurs de Solitude*, c'est s'interroger sur le sexe des "meubles", définition juridique des esclaves.» Écrire l'histoire des femmes esclaves n'est pas faire « un récit atroce ajouté à la plainte des femmes ou à leurs résistances oubliées ». C'est se mettre « au cœur même des conditions de la reproduction de l'esclavage », au cœur même par les « violences contre le sexe des femmes, pour en jouir, pour le faire produire ».

Les difficultés sont nombreuses pour les retrouver car, dans les oubliés des Droits de l'homme, elles occupent une place de premier plan ! Une citoyenne française s'écrie, en 1789 :

> « Il est question d'accorder aux Nègres leur affranchissement... C'est à la philosophie qui éclaire la nation qu'on sera redevable de ces bienfaits ; serait-il possible qu'elle fût muette à notre égard[4] ? »

Si les femmes blanches sont oubliées, les nègres bien marginalisés, que dire alors de celle qui cumule ces deux tares !

C'est sur leurs traces que nous souhaitons partir parce que Daniel Maximin nous y invite avec Miss Béa, personnage essentiel de *L'Isolé Soleil*. Elle a été précédée par *La Mulâtresse Solitude* d'André Schwarz-Bart, en 1972. L'itinéraire, peu à peu, multiplie ses balises et ses haltes, mieux éclairé, mieux informé, pour que se dise l'esclavage féminin dans sa singularité, dans ses spécificités, apportant au présent la richesse d'une interrogation reliant l'Histoire, la légende et le mythe et pour faire revivre la résistance de ces femmes, socle de l'énergie des femmes du présent.

---

les astres – elle éclata en un curieux rire de gorge, un roucoulement léger, entraînant, à peine voilé de mélancolie ; une sorte de chant très doux et sur lequel s'achèvent toutes les histoires, ordinairement, tous les récits de veillée, tous les contes relatifs à la femme Solitude de Guadeloupe... » (p. 136.)

3.   Oruno Lara, *Histoire de la Guadeloupe*, Paris, 1921, rééd. L'Harmattan, 1979, p. 138. Cité en exergue à son roman par André Schwarz-Bart. Ouvrage que nous avons sollicité précédemment, comme une des sources historiques de *L'Isolé Soleil*.

4.   Arlette Gautier, *op. cit.*, pp. 7, 8, 25.

Avant de suivre Maximin, nous voudrions faire halte un siècle et demie plus tôt avec Victor Hugo et son récit de jeunesse remanié, *Bug-Jargal*. Cette œuvre nous permettra de mesurer le chemin parcouru dans la représentation littéraire de la femme esclave.

Bug-Jargal de Victor Hugo

Ce récit que Hugo écrit en quinze jours à l'âge de seize ans, en 1818[5] ne fait mention d'aucune femme. C'est alors un assez court récit virilo-guerrier, à la gloire du muscle, de la bravoure et de l'honneur... Ce n'est qu'en 1826, en le reprenant après avoir engrangé une plus ample documentation, que l'écrivain y introduit Marie, la femme blanche et des femmes-esclaves.

Dans le système d'opposition et de complémentarité qui caractérise tout système de personnages, l'ensemble féminin reprend l'opposition binaire, constante dans la poétique hugolienne, Lumières / Ténèbres, sous la forme suivante : Marie la Blanche, est unique, toute de positivité et créature de rêve ; les Négresses, nombreuses, sont toute de négativité et créatures d'enfer.

L'opposition binaire est traitée dans sa stéréotypie idéologique, contrairement au triangle Blanc / Noir / Mulâtre de l'ensemble masculin composé de Pierrot-Bug Jargal / Léopold / Biassou-Habibrah, dont Daniel Delas a analysé toute l'origi-

---

5.   Première version écrite en 1818, à la suite d'un pari littéraire. La deuxième version est écrite en 1826. L'auteur justifie cette reprise par l'actualité des événements de Saint-Domingue (signature par Charles X de l'ordonnance du 17 avril 1825 qui reconnaissait l'indépendance de Haïti) qui lui a donné accès à de nouvelles informations.
      En mars 1832, lors d'une réédition, Hugo écrit dans sa nouvelle préface : « Il (l'auteur) a voulu donner ici un souvenir à cette époque de sérénité, d'audace et de confiance, où il abordait de front un si immense sujet, la révolte des Noirs de Saint Domingue en 1791, lutte de géants, trois mondes intéressés dans la question, l'Europe et l'Afrique pour combattants, l'Amérique pour champ de bataille. »

nalité pour l'époque puisqu'il ouvrait « la possibilité d'une identification proprement révolutionnaire d'un écrivain et surtout d'un
lecteur blanc à un héros noir par la médiation d'un contre-type
mulâtre »[6].

Le sabbat des griottes...

Côté hommes, l'analyse est très convaincante. Mais... côté
femmes, Hugo ne travaille pas à contre-courant des idéologies de
son temps que ce soit pour Marie ou pour les Négresses : il les
construit conformément aux normes admises : Marie, pure et
diaphane – comment pouvait-elle être programmée autrement avec
un tel prénom ?... – est affligeante de candeur et auréolée de sa
« pudeur de vierge » alors que les Négresses, lorsqu'elles font
irruption dans le roman, sont monstrueuses. La démesure
hugolienne trouve naturellement sa proie ; elle se constitue,
comme dans d'autres de ses textes, à partir d'une fascination
poétique et d'une répulsion idéologique.

Léopold est prisonnier des révoltés ; il arrive au camp de
Biassou :

> « Cependant les ténèbres couvraient encore la vallée, où la
> foule des Noirs et le nombre des feux s'accroissaient sans cesse.
> Un groupe de Négresses vint allumer un foyer près de moi. Aux
> nombreux bracelets de verre bleu, rouge et violet qui brillaient
> échelonnés sur leurs bras et leurs jambes, aux anneaux qui
> chargeaient leurs oreilles, aux bagues qui ornaient tous les doigts
> de leurs mains et de leurs pieds, aux amulettes attachées à leur
> sein, au collier de *charmes* suspendu à leur cou, au tablier de

---

6.   D. Delas, « Hugo, les Noirs et la Révolution aux Antilles : à partir de *Bug-
Jargal* », dans *Le Français aujourd'hui*, n° 82, juin 1988. Beaucoup
d'informations consignées. Mais c'est surtout la thèse qui nous a retenue :
en faisant, par intuition poétique plus que politique, du Noir le héros, et en
rejetant les mulâtres dans « le camp du mal », Hugo est à contre-courant des
idéologies de l'époque, romantique et post-abolitionniste : « en cédant par
une option liminale à la pulsion poétique élémentaire du noir et blanc et en
accordant au Noir primitif le rôle de héros positif, Hugo prend plus d'un
siècle d'avance ».

plumes bariolées, seul vêtement qui voilât leur nudité, et surtout à leurs clameurs cadencées, à leurs regards vagues et hagards, je reconnus des *Griottes*. » (p. 100.)

Ces créatures sauvages, sur lesquelles le narrateur s'attarde avec complaisance, apparaissent dans la nuit. Pour nourrir sa description, Hugo étale un savoir acquis dans la documentation de l'époque. Le portrait physique, haut en couleurs, que nous venons de citer, s'oppose à la description vestimentaire de Marie : « Elle était vêtue d'une robe blanche comme le jour de leur union, et portait encore dans ses cheveux la couronne de fleurs d'oranger, dernière parure virginale de la jeune épouse. » (p. 175.) L'écrivain passe ensuite à la fonction de ces femmes en commençant par une dépréciation qui modalise tous les énoncés suivants. Elles seraient douées « de je ne sais quel grossier talent de poésie et d'improvisation qui ressemble à la folie ». Pour acclimater l'information, il établit une comparaison avec l'Europe, dans la bonne tradition du discours exotique qui doit réajuster l'étranger au connu. Il compare ainsi les griots aux trouvères ou ministrils ou minsinger.

« Leurs femmes, les griottes, possédées comme eux d'un démon insensé, accompagnent les chansons barbares de leurs maris par des danses lubriques, et présentent une parodie grotesque des bayadères de l'Hindoustan et des almées égyptiennes. »

S'éloignant de la description ethnologique, il revient aux acteurs de la fiction pour souligner le feu qui fait « trembler sur leurs visages hideux la lueur rouge de ses flammes ». Il en vient alors à la danse elle-même et à la cérémonie rituelle, mascarade de sauvages : plumes, hurlements, jargon, gestes superstitieux, « invocation étrange », « grimaces burlesques ». Léopold, le narrateur, ne peut alors s'empêcher d'être pris d'un rire nerveux qui déclenche « une scène singulièrement sombre et effrayante » : les griottes se retournent contre lui « en hurlant » et s'apprêtent à le sacrifier. Les termes utilisés sont sans ambiguïté :

« Je n'ai jamais vu une réunion de figures plus diversement horribles que ne l'étaient dans leur fureur tous ces visages noirs avec leurs dents blanches et leurs yeux blancs traversés de grosses veines sanglantes. »

Ces « forcenées » se livrent à une « danse lascive que les Noirs appellent la chica ». Les connotations conjointes de sorcellerie et de judéïté se précisent encore : ce « sanhédrin noir »[7], animé par « l'horrible rire » de « chaque sorcière nue ». Sorcières, créatures du diable ! Pour ne plus les voir, Léopold ferme les yeux, échappant aux

> « ébats de ces démons femelles, qui, haletants de fatigue et de rage, entrechoquaient en cadence sur leurs têtes leurs ferrailles flamboyantes, d'où s'échappaient un bruit aigu et des myriades d'étincelles ».

Miraculeusement, « l'obi » le sauve des femelles !

Deux autres mentions seront faites encore des griottes mais la narration ne s'y attarde pas (pp. 105 et 108), la charge exotique et raciste ayant donné sa pleine mesure dans ce chapitre 26 et le jeune Hugo ayant sans doute épuisé sa documentation sur la question !

Les autres parenthèses consacrées aux femmes esclaves sont peu nombreuses. Nous retiendrons deux éléments signifiants.

Le mépris de l'esclave

Il s'exprime par deux fois, à propos des femmes. La première fois, dans le camp de Biassou, lorsque le petit Blanc, arrêté, garde son arrogance de maître – forçant ainsi l'admiration de Léopold – et insulte son ancien esclave Biassou :

---

7. *Cf.* L.F. Hoffmann, *Le Nègre romantique*, Payot, 1973, p. 214 : « C'est par la danse que s'exprime l'érotisme de la femme noire ».
    Voir cet ouvrage pour le relevé des œuvres où apparaissent les esclaves. Quelques pages seulement leur sont consacrées (pp. 202 *et sq.*) : « Désirée, possédée, torturée ou tuée pour avoir refusé l'accouplement, la Négresse ne semble pas avoir inspiré au maître autre chose que la concupiscence la plus bestiale... du moins en littérature. »

« Ta propre mère, la vieille folle ! » a bien souvent balayé mon échoppe ; mais à présent je l'ai vendue à Monsieur le Majordome de l'Hôpital des Pères ; elle est si décrépite qu'il ne m'en a voulu donner que trente-deux livres, et six sous pour l'appoint ! » (p. 130.)

La cruauté de Biassou et la poltronnerie de l'autre prisonnier mulâtre font du Maître blanc un homme courageux. Et, au passage, la chosification de la femme esclave est banalisée.

La seconde fois, au contraire, le sort de la femme esclave est douloureusement ressenti, parce qu'énoncé par Bug-Jargal :

« On enleva la jeune épousée à son époux pour en tirer plus de profit en les unissant à d'autres. [...] Ma femme a été prostituée à des Blancs. [...] Elle est morte et m'a demandé vengeance. » (p. 179.)

L'absence d'individualisation des Négresses

Elles sont présentes avec leur marmaille dans les armées révoltées. Les informations ne manquaient pourtant pas, dans les récits de l'époque, sur telle ou telle personnalité de prêtresse ou de révoltée.

Préparant la nourriture, ces femmes sont décrites en sorcières plutôt qu'en cuisinières :

« Leurs femmes noires ou cuivrées, aidées des négrillons, préparaient la nourriture des combattants. Je les voyais remuer avec des fourches l'igname, les bananes, la patate, les pois, le coco, le maïs, le chou caraïbe qu'ils appellent tayo et une foule d'autres fruits indigènes qui bouillonnaient autour des quartiers de porc, de tortue et de chien, dans des grandes chaudières volées aux cases des planteurs. » (p. 105.)

Lors du « sermon soldatesque » de Biassou, elles se déchaînent : « des négresses se déchiraient les seins et les bras avec les arêtes de poissons dont elles se servent en guise de peigne pour

démêler leurs cheveux. [...] C'était quelque chose d'un sabbat. »
(pp. 115-116.) Elles sont encore là, en queue de l'armée, « des
cohues de négresses, de négrillons, chargées de fourches et de
broches [...] des griottes avec leurs parures bariolées ».

Ainsi, si Hugo « prend un siècle d'avance » en faisant de Bug-
Jargal un héros positif, il marche bien au pas de son époque en ce
qui concerne les femmes, contribuant à pérenniser l'image la plus
triviale de l'animalité et de la sauvagerie[8]. Il ne retient même pas
des caractéristiques courantes de ces esclaves : ni esclaves d'habitation, ni guérisseuses, ni prêtresses, elles ne sont qu'une masse
indistincte et lubrique dont la bestialité justifie la violence dont elle
est l'objet.

Dans *L'Isolé Soleil*

Avec Maximin, nous changeons de siècle, d'île, de regard sur
le réel et d'implication narrative. Pour la femme esclave, la partie
qui retiendra notre attention est celle du *Cahier de Jonathan* où le
romancier travaille sur la même période que V. Hugo :

> « La Guadeloupe et Haïti sont aujourd'hui en Amérique les
> capitales de la révolution. Nous nous sommes soulevés et nos
> rébellions ont imposé l'abolition. [...] Nous avons accueilli la
> révolution de nos frères de France, mais quand ses délégués ont
> voulu nous réduire, nous les avons chassés à deux reprises »

écrit Georges à Jonathan ; la période historique postrévolutionnaire
se clôt au 28 mai 1802 avec l'explosion du Matouba.

---

8.   L.F. Hoffmann, *op. cit.*, p. 116 *et sq.* après les événements de Saint-
      Domingue où de nombreux Blancs trouvèrent la mort et la propagande
      négrophobe.

La création poétique – métaphores et personnages – privilégie la femme esclave comme référence de l'écriture, prenant la suite, tout en s'en différenciant, de *La Mulâtresse Solitude*[9].

Femme esclave et espace insulaire

L'incipit égrène le chapelet des îles féminines : Marie-Galante, Désirade, Karukéra, Madinina, incluant les noms des voix du texte si l'on superpose les initiales (Marie-Gabriel, Daniel-Adrien) dans cette féminité, affirmant le désir de moissonner « les récoltes camouflées au fond du silence et de la mer ». L'objectif ne sera donc pas de reproduire avec exactitude une information historique mais d'inventer le réel : « Ma soif invente encore des sources, et les sources s'élancent dans l'ignorance des mers et des déserts. »

Le début du *Cahier de Jonathan*, *La Désirade*, évoque l'emplacement de la Guadeloupe et de la Désirade en une comparaison qui convoque en texte la femme esclave : la Guadeloupe a le même geste que la mère qui repousse du pied sa fille Désirade,

> « hors de ses eaux tièdes vers l'océan d'Afrique, du même geste de ces mères esclaves qui étouffaient leur fille à la naissance doucement dans un drap mouillé pour qu'elles retrouvent sans toucher terre le chemin de l'Éthiopie » (p. 29).

On a vu que l'Histoire clandestine de l'espace insulaire est riche de gestes de femmes, celui d'étouffer les petits à la naissance, donnant la mort pour échapper au pire ; celui de participer aux empoissonnements et aux suicides collectifs ; celui de prendre part aux combats : « elles transportaient les munitions, soignaient les blessés, encourageaient les combattants au cri joyeux de "Vive la mort !" » (p. 52.) Elles meurent avec les hommes lors de l'explosion du Matouba. Elles sont présentes, déterminées, indif-

---

9. Par son roman, A. Schwarz-Bart accomplit, selon Hoffmann : « la gageure fondamentale du roman historique : non seulement faire revivre le passé mais aussi donner une interprétation cohérente du fait historique au moyen d'une fiction », *op. cit.*, p. 172.

férentes à la mort[10] ; celui, enfin, de compter parmi elles, des figures légendaires comme la câpresse Anaïs ou Solitude[11].

Tous ces faits, attestés historiquement[12], sont sélectionnés parmi d'autres et deviennent emblématiques : leur indice de fréquence réelle dans l'Histoire de l'esclavage importe moins que leur force de symbolisation.

Ainsi le discours de l'Histoire n'est pas inséré comme discours de vérité mais comme repères-jalons de reprise en mains du réel antillais pour féconder le doute et le questionnement, amorces d'une désaliénation et non production d'une certitude. On comprend mieux alors une des composantes du mythe de l'origine qu'est la « forme littéraire » Miss Béa, personnage tout de fiction et de réel, de désir et de création.

---

10.   Maximin n'exploite qu'en partie Oruna Lara. Ce dernier montre le désastre que fut l'expédition de Richepanse en 1802 (et celle de Leclerc, à Haïti, à la même date) :
« Les Noirs avaient bien acquis leur liberté ; et tous les succès qu'ils y récoltaient ne servaient qu'à leur donner un plus grand amour de l'ordre et du droit public. Les hommes s'étant révélés aptes aux situations les plus heureuses, y montrant une vraie passion à s'instruire, les femmes avaient suivi dans cette extension des qualités. Elles s'étaient révélées des mères, des épouses, des maîtresses de maison, des compagnes aussitôt adaptées aux situations des leurs.
La Guadeloupe a ainsi montré, pendant la période de 1794 à 1802, près de huit années, le spectacle réconfortant d'une nouvelle humanité s'harmonisant et se perfectionnant au souffle vivifiant de la Révolution. »
Il explique ainsi la vigueur des Guadeloupéens au combat : « C'est à ce combat (celui du 12 mai) que des femmes descendirent dans les rangs, pour encourager les combattants, se mêlant aux tirailleurs, apprêtant les armes, réconfortant les blessés, transportant les morts, sous une pluie de balles. » (p. 137.) Il cite des témoignages de l'époque.

11.   Épisodes d'Anaïs et de Solitude repris dans Oruno Lara. Pour Anaïs, p. 79, Maximin donne un extension à la source historique. Pour Solitude, p. 138, il condense, à l'inverse, l'épisode.

12.   On peut apprécier Anaïs et Solitude comme des « personnages référentiels » qui authentifient la création poétique. Cf. la définition qu'en donne P. Hamon dans, « Pour un statut sémiologique du personnage », in Poétique du récit, Points Seuil, 1977, p. 122.
Ainsi, en les citant, le texte fictif participe à la familiarisation du lecteur avec le Grand Texte de la culture guadeloupéenne, en cours de constitution.

Femme esclave et écriture de l'Histoire

> « *Comme toute femme-volcan ton silence plus encore que ton cri sait tenir le monde en respect des futures explosions.* » (p. 164.)

À l'origine choisie, une femme esclave, Miss Béa : point de départ qui transmet et (re)construit la mémoire, toute pétrie de références africaines et d'expériences de résistances au sein même de l'espace insulaire, l'habitation.

> *On sait que dans l'habitation, il y avait les esclaves attachés à la maison, au service et les esclaves des champs. Et c'est bien avec les esclaves attachés à la maison que le métissage s'est d'abord produit : la maîtresse du maître, le cocher, la nourrice, les enfants esclaves de compagnie, un monde « blanchi » à tous les sens du terme. Où a-t-on découvert les coutumes et les costumes de l'Europe ? Ses arts et ses savoir-faire, ses livres et ses violons ? C'est bien dans l'habitation ! On peut alors percevoir ces pratiques comme le symbole de la soumission la plus absolue ou au contraire comme des lieux de création de ces résistances, des lieux par lesquels nous avons fait pénétrer, notre cheval de Troie ! Un triangle s'est formé et a coexisté sans qu'un pôle soit à privilégier au détriment des deux autres : l'habitation, la rue cases-nègres et l'espace du marronnage. Tout se tient : les esclaves d'habitation transmettent les informations... Ce soir, le maître sort, la voie sera libre... L'apparence de la révolte est plus ou moins visible selon le point de l'espace où l'on est situé. Nos histoires de résistance ne sont pas claires et glorieuses, elles sont invisibles et cachées. Bien souvent, pour être plus forte, la résistance prend le visage de la soumission. Quand on n'a que cela comme moyen, ce n'est pas matière à mythe et à exaltation. Le Rebelle de Césaire n'assassine pas le maître dans un combat à la loyale... Je redis que l'idée de la révolte absolue n'admet pas le compromis.*

Daniel Maximin travaille surtout sur les groupes de médiateurs où les femmes occupent une place privilégiée, par l'amour qu'elles inspirent, les attachements qu'elles suscitent (nourrices), par les enfants qu'elles mettent au monde. Les groupes de médiateurs l'intéressent plus que les ruptures absolues car ce sont eux qui ont donné les Antilles d'aujourd'hui. Le choix de Miss Béa est donc bien une construction fictive de ce choix. D'elle dérivent les Angela, Élisa, Ti-Carole, Ti-Louise, Siméa, Marie-Gabriel mais aussi les hommes-colibris. D'elle émerge la parole qui échappe à l'Histoire officielle et la parasite jusqu'à en faire éclater les sens : contes, proverbes, chants, rites, principes de survie – surmonter la peur, la faim, vivre l'amour –, objets symboliques – bague et bracelet à proverbes.

Je prends Miss Béa, mais c'est pour aller contre le mythe du marronnage absolu. La question est bien : « Comment s'est-on libéré ? Pourquoi ? » Bien entendu, pour la liberté contre l'esclavage. Au nom de quoi ? Pas seulement au nom des Noirs contre les Blancs, au nom de l'Afrique contre l'Europe ? Mais dans cette victoire, on ne peut oublier l'Histoire de l'esclave qui a pris en charge la défense de la liberté pour tous. Non pour récupérer un pays et opprimer à son tour. Lorsqu'il y a eu l'abolition en 1848, les famille békés sont restées sur place – elles y sont toujours – et il n'y a eu aucune terre donnée. La revendication n'était donc pas : à notre tour de mettre les maîtres en esclavage !

C'est une des questions politiques fondamentales de L'Isolé Soleil *: celle du révolutionnaire et du maître. « Que faire de la victoire ? Prendre la place du Maître ? » Or, si l'on regarde l'Histoire du monde, la majorité des résistances populaires ne veulent pas lutter pour devenir à leur tour des oppressions. C'est le maître qui refuse le métissage, c'est lui qui refuse de reconnaître les enfants qu'il fait. L'esclave, lui, assume sa descendance bâtarde, historique, culturelle, même anthropologique. Le maître, lui, refuse son héritage à son enfant métis. Mais cela n'a pas empêché le travail du métissage de se faire. La grande fragilité et la grande force, l'originalité des sociétés antillaises, c'est qu'elles ne sont pas basées sur une certitude,* *sur une maîtrise mais sur une méfiance vis-à-vis de toute maîtrise.*

Les esclaves, les femmes particulièrement, refusent de se laisser repousser dans l'inhumanité du maître, car l'accepter, c'est accepter de ne plus être traité comme un être humain. Accepter de perdre son humanité après la victoire. La volonté de l'esclave n'est pas de détruire l'humanité, les Blancs de l'Europe ; au contraire, c'est d'imposer à l'Europe de reconnaître la propre humanité que tous les hommes ont en partage au-delà de toute ségrégation.

Ainsi, la parole féminine dit « la vérité au service de l'imaginaire et non pas le contraire » parce que ses racines, comme celles de toute mère, donnent des fruits, parce que ses phrases, comme celles de toute femme, sont « tamisées » et sont nourries de sel, de souffre et de sève.

Le travail d'écriture se fait sur cet être de fiction plus susceptible qu'un personnage historique d'être le réceptacle, le lieu de convergence des significations que la narration entend privilégier.

Miss Béa entre en texte par son maître, J.-B. Alliot qui, s'installant à Pointe-à-Pitre, prend à son service la mulâtresse qui l'a soigné à la Désirade. Elle a même guéri des lépreux « à l'aide de plantes et de boissons inconnues qu'elle mêlait à des incantations de langage » (p. 31). Alliot l'achète au gouverneur de Villejouin ainsi que ses jumeaux, Georges et Jonathan. Celui-ci, à la peau trop claire, vaut à sa mère une punition du Vicaire pour avoir « fauté » avec un Blanc. Elle accomplit sa punition mais change le chant de contrition en chant d'épreuve et de résistance : « tout au long du chemin, elle langageait à mi-voix »...

Elle est donc guérisseuse, mère de jumeaux, porteuse d'une culture clandestine qu'elle oppose, comme elle le peut, à la répression du Blanc et à sa religion. On ne peut parler de description de la réalité sordide de l'esclavage, ce qui n'en est pas la négation. Mais l'investissement de l'Histoire se fait autrement par le choix de l'esclave d'habitation qui a un « bon » maître et qui n'en continue pas moins d'affirmer son identité dissidente.

Une ellipse temporelle de dix huit ans conduit le lecteur en 1785 : Miss Béa a été affranchie avec ses enfants parce qu'elle a bien soigné la femme de J.-B. Alliot. Elle est, néanmoins, restée à son service et ils occupent l'habitation des Flamboyants sur les hauteurs de Petit-Bourg. J-B. Alliot s'enrichit grâce « aux connaissances mystérieuses de Miss Béa qui savait les secrets de la fécondation des vanilliers ». Georges est violoniste et apprend à lire aux Nègres de l'atelier. Jonathan, lui, se méfie de l'instruction et engrange dans son cahier tous les textes qui sont

> « une preuve que l'affranchissement de quelques esclaves – même s'il semblait combattu par le gouvernement royal – était un moyen sûr de retarder la révolte qui donnerait au plus tôt la liberté à tous » (p. 33).

Il apprend, de sa mère, les secrets des plantes et des oiseaux.

À partir de cette date – 1785 – il nous semble que Miss Béa s'éloigne de l'écriture réaliste mimétique pour être prise dans les réseaux d'une écriture mythique. Si la focalisation se fait sur le personnage, la vision du narrateur reste essentiellement externe, nous rapportant ses dits et gestes, jamais ses pensées intimes. Il n'y a plus alors identification possible pour le lecteur car... « l'identification est l'ennemie de l'identité ». La question n'est plus de s'identifier à une héroïne mais de comprendre une des composantes de l'identité antillaise.

À ce point de rupture, un sacrifice-meurtre : la petite Angela violée et mutilée par des Blancs. L'engrenage de la violence s'engendre, Jonathan tue Élisa son amie, fille du Maître, vengeant les siens et tuant aussi son désir illicite ; il brûle les deux corps en une cérémonie de purification.

On ne connaissait pas le père de cette Angela, contrairement à celui des jumeaux, l'évocation de sa conception relevant tout à fait du récit mythique :

> « Miss Béa disparut sept jours pour se faire féconder par la forêt marronne dans la rivière de lave au sommet du volcan, après avoir vaincu le roi des coqs et le roi des tortues sur le chemin du retour à la Grande-Mère. Et Béa savait bien qu'au bout de sept

années, Woyengi, gardienne du destin choisi, viendrait lui demander de choisir elle-même entre garder sa fille ou ses dons de vision et de guérison. »

Cet épisode a eu lieu quand les jumeaux avaient onze ans, le chiffre de la gémellité. Woyengi, la déesse-mère des ventres de mères laisse choisir entre « la rivière de boue » ou la « rivière de clarté » : celle qui choisit la seconde n'aura jamais « ni pouvoir, ni richesse, ni enfant » mais don de vision et de guérison. Face à sa fille assassinée, Miss Béa psalmodie son chant d'épreuves (p. 37) puis ramasse les herbes pour soigner les blessés, laissant Jonathan accomplir son acte et lui indiquant « la Petite Guinée », espace des Marrons, puisqu'il a décidé de se joindre à eux[13]. Elle lui donne une bague qu'il enfouit dans le manguier, ne pouvant la passer à son doigt : « Sa mère y vit le signe d'une troisième maternité possible malgré son destin, cette fois avec la semence du roi de la forêt, sur l'arbre-reposoir, après la mer et le volcan. » (p. 39.)

Dans les pages suivantes, le nom même de Miss Béa n'apparaît que rarement ; elle est désignée par « la vieille femme » et « négresse ». De nouveau une ellipse temporelle de sept ans, cette fois – le temps de la naissance et de l'enfance de Ti-Carole – : nous sommes en 1802, l'année de la répression de la Guadeloupe et du rétablissement de l'esclavage. Le discours, inspiré directement des sources historiques, domine. C'est par les yeux de Delgrès et de son aide de camp « intrigués par le manège d'une vieille femme » que nous retrouvons Miss Béa, ce 28 mai 1802. Elle officie dans son rôle de prêtresse-devineresse, entourée des femmes-marrons et assistée de sa petite fille « qui portait sur le visage les peintures en cercle des yoruba ». Après la musique d'incantation qui inaugure cet appel aux dieux, la vieille femme parle : « À présent, j'ouvre ma bouche, et je vais énoncer la parole. » Suit une longue

---

13. Laënnec Hurbon le définit ainsi : « Le marronnage, en effet, c'était la retraite des esclaves vers des espaces inaccessibles aux maîtres, et par la reprise des pratiques culturelles africaines, le moment de la reconstitution d'un langage propre – le vaudou / créole – pour la réaffirmation d'un pouvoir sur son propre destin, dans le refus de tout apprivoisement, de tout assujettissement », *Culture et dictature en Haïti (L'Imaginaire sous contrôle)*, L'Harmattan, 1979, p. 16.

harangue pour expliquer les destins et le sens des symboles gestuels. Il faut attendre le verdict des dieux. Si Ogoun – symbolisé par le soufre – gagne, « seules les femmes en mal d'enfant iront dans les bois pour se préserver de la mort. Car Shango ne leur pardonnerait pas de sacrifier un être à qui il n'a pas encore choisi d'insuffler la vie » (p. 62). Solennité, recueillement, gravité marquent cette scène qui n'a plus rien à voir avec la mascarade hugolienne. Mêlant vérité historique et imaginaire poétique, la narration prête cette réplique à Delgrès : « Nos corps éclatés seront sans sépulture. [...] Mais sois sûr qu'ils renaîtront dans le ventre de ces femmes révoltées. » (p. 62.) Avant l'explosion, au signe de Ogoun, les femmes enceintes fuient : « La petite fille et sa vieille compagne guidaient les femmes à travers les traces les plus rapides et les plus sûres. » (p. 64.)

On sait que la répression qui suivit, dirigée par Richepanse, fut féroce. Celui-ci, malade, est transporté au Matouba en août et soigné – activement ! – par une « vieille Négresse réputée » qui l'empoisonne grâce à ses tisanes parfumées (p. 67). Les Blancs qui, comme Alliot, se sont soulevés contre cette répression, sont arrêtés et torturés : Alliot est condamné à la roue, un supplice de nègre[14] :

> « La veille de son supplice, une vieille femme réussit à s'introduire dans la prison avec sa petite fille aux cheveux nattés. Les deux vieillards, anciens maître et esclave, se regardèrent pendant plusieurs minutes sans une seule parole. Puis elle se leva et lui offrit une racine de barbadine pour la sérénité d'une mort moins cruelle. » (p. 69.)

L'information historique est travaillée à contre-courant : l'esclave empoisonne le Maître, non pour se venger – comme avec Richepanse – mais pour l'aider à adoucir la mort, l'assimilant aux siens[15].

---

14. Sur J.-B. Alliot, personnage historique, retravaillé par Maximin, *cf.* chapitre précédent. Richepanse est bien mort, en 1802, à Basse-Terre de la fièvre jaune, nous dit le *Larousse du XIXe s.* qui lui consacre une entrée élogieuse.
15. *Cf.* O. Lara, *op. cit.*, p. 80, les empoisonnements pour soulager de la vie.

Le récit avance par bonds : 1824, Miss Béa échappe au cyclone ; 1833, elle est toujours vivante malgré les soubresauts de l'Histoire et de la Nature. Mais en 1843, elle disparaît dans le tremblement de terre de Pointe-à-Pitre, léguant à sa fille, sa nostalgie de maternité et la nécessité de la mémoire. Elle a vraisemblablement cent ans et meurt quelques années avant l'abolition de 1848.

Ainsi par la construction féminine de l'entrelacement de la fiction à l'Histoire, Daniel Maximin sort les femmes esclaves du « mensonge des hommes » en les montrant dans une fonction autre que celle d'enfanter des héros. Marie-Gabriel note :

> « Cela me donne, par moments, l'envie de concevoir une histoire où seules des femmes apparaîtraient, mais ce serait aussi vain que si quelqu'un prétendait imiter les gestes que lui reflète son miroir. »

Et plus loin : « Est-ce que des femmes sont mortes au Matouba ? Ou n'était-ce qu'un duel masculin-pluriel, entre soldats blancs et noirs, comme au jeu de dames ? » (p. 118.)

Le personnage de Miss Béa, c'est à la fois la mémoire d'Afrique mais redimensionnée dans l'espace insulaire, c'est l'acceptation de la négociation d'une nouvelle identité, l'acceptation de créer les Antillais dans la plantation plus que dans le marronnage, d'assumer cet espace en se l'appropriant et en tournant le dos à la mort par suicide, assassinat ou lutte ailleurs : rester ici et maintenant.

Le mouvement qu'impulse ainsi le texte d'une imprégnation poétique de la mémoire, est ascendant, non nostalgique ; il cherche à déceler les significations du passé, en refusant les femmes – « repos du guerrier » –, « absentes des chemins de votre mâle héroïsme » selon l'expression de Siméa s'adressant aux poètes d'hier, d'aujourd'hui et de demain (p. 149).

Miss Béa, c'est l'ancrage de mémoire et le support d'une mémoire refaçonnée, chargée de dire la continuité et la permanence, formes d'opposition nécessaires à la destruction et à la dispersion des cultures et des individus qu'a opérées l'esclavage. Elle a transmis à la chaîne de ceux qui vivent la féminité, c'est-à-dire la dimension existentielle la plus étouffée par l'Histoire et la Société, le message de présence têtue : « Tu lutteras seule dressée sur tes racines comme le figuier-maudit. » (p. 16.)

Elle est donc bien mythe de l'origine et de l'identité « à la fois, mémoire et création, en définissant un passé qui a un avenir »[16]. Comme l'écrit Ève, nous avons avec *L'Isolé Soleil* et, dans son élan, avec toute la trilogie, des « cahiers-mémoire d'un peuple qui traversent [...] tous les cyclones protégés par des mains de femmes-sorcières, de femmes-enfants » (p. 287).

> On peut rappeler que beaucoup d'hommes ont en eux cette féminité de résistance. Nous prenons bien ici masculin et féminin comme des catégories communes à proportions variées aux hommes comme aux femmes. Plutôt qu'une opposition hommes / femmes, on pourrait opposer la rébellion absolue à la rébellion métisse.

Dans *Soufrières*, les méditations que Marie-Gabriel livrent sur son écriture sont l'exact héritage de cette féminité résistante. Dès l'envoi, elle est imaginée en archer prête à reprendre la résistance par l'écriture (p. 12) puis en explorateur solitaire, partant à la recherche de son île « avec la seule carte de la géographie de son corps » (p. 22) ; en chercheur qui doute du succès de son travail :

> « écrire ne me rend pas plus sûre de tout ce que je veux dire, confie-t-elle à Gerty. J'aimerais tellement que l'écriture soit comme une autre façon de parler... à moi-même et à toi, à ton enfant futur et à mes parents morts, à tous les nous-mêmes vivant entre les deux... Mais c'est difficile de faire un livre avec tant de portes ouvertes... » (p. 46) ;

en choriste de l'écriture qui construit l'île avec

> « des dizaines d'autres Antillais noircissant eux aussi des cahiers d'écriture au sujet de la Soufrière, pour faire sortir la solitude de l'isolement qui guette. Tandis qu'elle-même n'en finit pas

---

16.   *In* J.-Y. Tadié, *Le récit poétique*, PUF, p. 148.

d'achever le roman de Siméa, une histoire d'amour et de dissidence, née il y a une trentaine d'années au pied de ce même volcan » (p. 61).

Elle est accompagnée dans ce douloureux parcours par ses amis-amants, l'un par la tendresse des gestes et de la musique, l'autre par la passion d'écriture partagée et la lecture critique de son manuscrit. Mais c'est seule qu'elle doit parvenir « jusqu'à l'air libre, émergeant de la mère Caraïbe » (p. 69). Seule ou en liaison avec d'autres femmes : « Marie-Gabriel, Ariel, Gerty, Inès, Élisa : j'aime que la magie ordonnée de vos initiales suffise à rendre caduc l'inventaire des raisons de vos alliances farouches. » (p. 256.)

Et c'est cet ultime accomplissement que réalise *L'Île et une nuit* : affronter, en solitaire, le déchaînement du vent venu d'ailleurs pour balayer l'île et les sites qu'elles ont patiemment édifiés et reprendre la marche : « Si tu existes, repars à ta recherche. » (p. 167.)

8

Se réconcilier avec la géographie

« Chaque fois que tu oublieras de décrire la nature tropicale non pas comme un décor, mais comme un personnage de ton histoire [...] alors tu te souviendras que les pays où il fait trop beau sont comme des ventres maternels hostiles aux renaissances. »
(*L'Isolé Soleil*, p. 17.)

« *Va où tu veux, en familier des cataclysmes* »
(p. 146 de *Soufrières*.)

Dans *L'Isolé Soleil*, la plongée dans une autre écriture de l'Histoire a situé les personnages dans leurs lieux. Si Adrien, Ève puis Ariel – et épisodiquement quelques personnages – sont à Paris, c'est l'île de la Guadeloupe qui est majoritairement le théâtre des trois récits.

Présente mais non « décrite », la nature tropicale a un rythme naturel au moins aussi conséquent sur l'Histoire que celui des actes des hommes. Nous avons vu des exemples de sa présence active tout au long des pages qui précèdent.

Oruno Lara procédait déjà à cette fusion géographie / Histoire en mentionnant toutes les « catastrophes » naturelles comme partie intégrante de l'Histoire événementielle de la Guadeloupe, sans les lier étroitement toutefois aux événements historiques qui surviennent, comme le fera le romancier. Mais même en juxtaposition, ils sont bien présents dans l'Histoire de l'île, retardant un vote, faussant ou favorisant, – selon le point de vue que l'on adopte –, tel ou tel fait. La trilogie de Maximin est ponctuée par le passage d'un cyclone qui marque les années et les saisons, un tremblement de terre ou le tressaillement du volcan. Ces ponctuations ne sont jamais gratuites : elles ont un rôle dans la manière même qu'a l'auteur de mettre en scène l'Histoire. La nature est une force marronne, incluse dans la résistance comme les dieux africains, deux forces que l'occupant n'a jamais vraiment comprises. De la même manière que l'on parle de l'éruption de Delgrès, on parle de l'anniversaire de 1802, célébré par la montagne Pelée, un siècle plus tard, rasant Saint-Pierre, ou des colères de Shango, le 25 mars 1897, pour un tremblement de terre. Le rite célébré par Miss Béa pour déterminer l'orientation de l'action des femmes, le 28 mai 1802, associe la Nature et les dieux africains, récupérés pour une dissidence antillaise et non célébrés en un rite de dévotion et de reproduction. Ce type d'énoncés se trouve encore dans *L'Île et une nuit*, lorsqu'il est fait mention des cyclones anciens :

> « Il lui était même arrivé il y a très longtemps, au début de l'histoire, à trois siècles d'ici, d'advenir au milieu d'une première grande révolte d'esclaves, interdisant aux soldats d'investir les grands fonds, et empêchant la jonction des troupes du chef des nègres marrons avec l'autre groupe des révoltés de la Basse-Terre. Une autre fois, ce fut toute une escadre anglaise qu'il attaqua dans le canal des Saintes. Huit mille soldats coulés vifs avant l'assaut du Fort de Basse-Terre. (Peut-être la vengeance d'Urakan, géant du vent, contre le traité de déportation des derniers Indiens vers les réserves de la Dominique et de Saint Vincent...) » (p. 27.)

Chacun des trois romans met à l'honneur, dans son titre, un élément naturel essentiel : le soleil, le volcan, L'Île. Ces titres échappent à la lecture exotique par une distorsion qui fait dériver les sens vers une signification symbolique que le parcours du roman construit : la personnification du soleil, « l'isolé », au-delà du jeu avec les lettres qui désigne Adrien, désigne aussi ceux qui sont de l'île, tout en en vivant éloignés. Le pluriel de *Soufrières* transforme le volcan en réserve éruptive enfouie dans chaque être, toujours susceptible d'exploser et de fertiliser la vie de celle ou de celui qui accepte le bouleversement. *L'Île et une nuit* plonge dans la pérennité de l'indéterminé et clôt la trilogie sur la désignation de la Guadeloupe, au cœur de l'archipel et sur l'espace de danger et de vérité qu'est la nuit. Il est à noter que l'accent n'est pas mis sur le cyclone car cette force naturelle « venue d'ailleurs » est moins valorisée que le volcan. Nous le verrons dans la suite de notre analyse.

La question de l'exotisme, on pourrait commencer à l'examiner avec le Parnasse. Ceux qui ont constitué ce mouvement poétique étaient en partie venus de l'Outre-mer. Et ce qu'ils donnaient à lire était exotique pour le Parisien : pour celui d'ici, c'est local et enraciné. La vision de l'exotisme est toujours faussée si l'on ne tient pas compte du lieu à partir duquel regarde l'auteur. Mais pour répondre au regard occidental, l'auteur en rajoute : si le Parnasse plaît, si l'exotisme plaît, on ira dans ce sens avec excès.

En fait, c'est la question du public qui se trouve posée. Ce qui est exotique, ce n'est pas ce que je décris mais le regard de celui qui me lit. Mon travail de langue devient exotique, le travail que j'effectue sur les images en les transformant, sur la langue française non pas en fonction de ce que je suis mais dans un langage qui corresponde à ce que l'autre perçoit comme étranger. Une sorte de surenchère dans l'étrangeté.

Césaire est surréaliste parce qu'il a traduit la géographie de son île – il dit dans sa langue son paysage. C'est donc sa géographie qui est surréaliste et c'est en cela qu'a résidé la grande surprise de Breton à son escale de 1941 en Martinique : découvrir une réalité de nature qui ressemblait à ses imaginations les plus surréelles.

Je décide de décrire un fleuve : si ma description ressemble trop à celle de n'importe quel fleuve et que je tiens à différencier, je vais enlever tout ce qui est commun : mon fleuve ne doit pas rappeler au lecteur le Danube ou la Seine. L'attitude exotique supprime le commun, le ressemblant parce qu'elle est aliénée par le regard de l'autre. L'étrangeté se perçoit de part et d'autre. Le respect de l'autre n'est pas une aliénation. Faire de l'exotisme, c'est se préoccuper de la distinction, s'attacher plus à l'apparence.

Sans compter que toute lecture en son principe est déjà porteuse d'une distanciation exotique du réel qu'elle décrit. Ce qui explique par exemple, comme le rapportait Sony Labou Tansi, que pour un lecteur congolais la Seine, vu son importance dans le livre de géographie, était forcément un fleuve bien plus grand que son Congo natal, d'où sa surprise, arrivé à Paris, de découvrir que le filet d'eau sous le pont Saint-Michel portait bien le même nom.

Autre marque de l'importance donnée à la nature et à la géographie : l'habitation des Flamboyants, « ce vivant rêve d'histoire ». Si l'on regarde à nouveau l'arbre « généalogique » que nous avons proposé au chapitre deux, nous constatons que ce qui unit les « ancêtres », – l'esclave affranchie, Miss Béa et le maître éclairé, J.-B. Alliot –, c'est cet espace bien spécifique aux colonies de plantation : l'habitation. Des Flamboyants partent déjà les résistances. Le grand-père Gabriel l'achète : Marie-Gabriel y naît. On peut dire que les Flamboyants sont absolument indissociables de la trilogie... pour le meilleur et pour le pire ! Ils accueillent les fêtes, ils protègent les solitudes recherchées, ils sont le lieu de l'écriture. Dans *Soufrières*, la maison est le point de convergence des personnages ; elle s'imprègne de l'écoulement du temps. Dès la cinquième ligne du roman, on note : « La grande maison des Flamboyants où tu es seule est un peu plus humide depuis un an que ton grand-père est mort. » Galerie, berceuse, terrasse, puits, manguier, pelouse en contrebas, allée qui grimpe, bouquet d'hibiscus, les romans égrènent ses composants sans jamais en faire une description classique car l'espace n'est pas une toile de fond, un décor mais partie de la vie, force agissante. Ainsi, après une journée bien remplie, lorsque Marie-Gabriel y retourne, la voix narrative précise : « Fidèle et rassurante comme le giron d'une vieille Da, l'habitation Flamboyants sort de l'ombre à la lumière des phares de la voiture d'Antoine.» (p. 59.) C'est encore elle qui reçoit «sa cargaison de garçons et de filles» après l'ordre d'évacuation générale (p. 152). Elle accueille ensuite tout le groupe d'amis, le 16 août, le jour de l'arrivée d'Adrien. C'est en ce lieu que se fait entendre la voix du manuscrit dans la dernière partie, *L'oiseau du possible* et, fidèle à son nom, elle flambe à la fin de ce récit de feu. Heureusement elle a été sauvée par la vigilance d'Élisa et on la retrouve, fidèle et rafistolée, dans *L'Île et une nuit*. Elle abrite Marie-Gabriel la nuit du cyclone mais, cette fois, elle s'effondre et disparaît de l'univers créé... comme colibri... comme Marie-Gabriel / force de création. La destruction des Flamboyants est l'œuvre du cyclone, «ce diable venu d'ailleurs» et non celle du volcan.

Nous avons vu que le premier roman sans sacrifier la géographie, mettait l'accent sur l'Histoire. Les deux autres romans procèdent de façon inverse.

Les premières pages de *Soufrières*, après l'ordre donné d'évacuation générale, sont consacrées à une description précise, cocasse et scientifique d'une explosion qui commence ainsi : « Des tonnes de cendres s'abattent avec finesse sur tout le sud de l'île, bloquant les pare-brise humides et les gorges muettes.» (p. 10.) Plusieurs passages vont reprendre ainsi des informations mais le romancier semble minimiser le côté officiel-français-scientifique pour nous faire partager la manière guadeloupéenne de vivre le volcan. C'est parce que l'éruption volcanique est au centre du projet narratif qu'un personnage comme Rosan, «le plus respectueusement arc-bouté à son île» (p. 61), acquiert une importance non négligeable dans la distribution. Entre attachement à la terre, empirisme et savoir scientifique, il est celui qui informe, qui refuse la fuite ou le repli et qui cherche à maîtriser la nature en s'organisant en fonction de sa réalité :

> « Tu es ici en Côte-sous-le-Vent, la région la plus sèche, la plus escarpée, la plus chaude, la moins ventée, la moins riche, et la moins syndiquée du pays ! c'est dire que nous sommes habitués aux catastrophes et à tout ce qui s'ensuit, l'espoir y compris. Alors le feu du volcan après l'eau des raz de marée et le vent des cyclones, chacun son tour, ça s'équilibre !... » (p. 41),

explique-t-il à Antoine en développant méfaits et bienfaits de ces catastrophes pour l'agriculture. Précision et technique se marient avec lyrisme et images : « Dès que les premières fractures commenceront, si c'est de ce côté-ci de la Soufrière, je fais sauter la colline pour proposer à la jeune fille un berceau où écouler le lait de son sein trop gonflé ! » (p. 42.) Il y a bien, chez lui, comme le dit Antoine, un refus catégorique d'accepter l'image habituelle du volcan comme force de destruction et de désolation. Rosan est comparé à Adrien : l'un affronte le volcan dans sa réalité, l'autre le transpose au théâtre avec *La danse de la femme-volcan*. Cette « scientificité » de la démarche de Rosan ancrée dans une observation du réel, une formation d'agronome et une curiosité pour l'antériorité de situations semblables apparaît avec une plus grande évidence encore lorsque le récit se suspend pour laisser place à la citation de son carnet. Maximin délègue ainsi ce savoir, – recherches historiques, constats géophysiques, conseils pratiques, réflexions personnelles –, à un de ses personnages et ne fait pas intervenir les scientifiques de l'époque. La citation du carnet est longue. Aussi n'en prenons-nous qu'un extrait à la p. 58 :

> « Mars 1976 : les Ponts et Chaussées renforcent les ponts de la Rivière Rouge, de la rivière Noire et entament les travaux de renforcement du pont de la Rivières des Pères. On prépare la fuite au lieu d'organiser d'abord la résistance. »

Le carnet signale aussi la visite d'Haroun Tazieff, le 30 mars. On sait à quelles controverses passionnées a donné lieu le réveil de la Soufrière en 1976. Nous en avons un écho dans l'enquête de deux journalistes, citée précédemment ; certains passages des livres étant identiques, journalistes et romancier puisant sans doute aux mêmes sources d'information.

Il n'est peut-être pas utile d'insister plus sur cette intégration de l'éruption volcanique dans le roman. De trémors ressentis aux voiles de cendres, *Soufrières* remplit bien l'attente programmée par son titre. Le volcan est ainsi l'interlocuteur d'une véritable adresse poétique qu'Adrien, alors en Avignon, se récite à lui-même : « Soufrière, toi aussi, ce que tu veux, c'est voir le feu de la terre rendu au soleil. [...] La Soufrière n'est pas un décor de roman. [...] Elle est notre géographie.» (p. 125.)

En nous rendant complice du volcan, en lui donnant la parole, en le campant en metteur en scène et reporter des mouvements des habitants, le romancier entend transformer le rapport à la nature tropicale. Il invite à lui faire confiance, comme le font les femmes, réunies autour d'une petite fille à naître. La Soufrière est heureuse de la décision de Gerty qui reste accoucher dans sa case (p. 149), amusée par la menace de Man Yaya qui la somme de se tenir tranquille (p. 150), touchée du geste de Marie-Gabriel qui ne craint pas de rebrousser chemin (p. 153). Elle peut alors conclure : « Et, pour ma part, j'ai simplement pu, aujourd'hui, avec un bain de cendres grises, imposer aux yeux de tous sur le paysage le regard d'un nouveau-né.» (p. 157.) Les expressions qu'elle emploie sont celles d'une personne : « J'attendrai que le soleil lève les couleurs, puis j'écarterai brusquement l'azur du ciel pour me faire remarquer.» (p. 138) ou encore : « Je ne suis pas descendue en ville depuis près de trois mille ans, et il m'est toujours impossible de traverser une rue sans déchaîner la vigilance des tocsins.» (p. 141.) Le romancier refuse le tragique angoissé ; les choses sont sérieuses, certes, mais l'angoisse est apprivoisée par la familiarité, l'humour et la complicité avec les éléments.

Le choix de la géographie est encore plus intéressant dans *L'Île et une nuit*, roman construit autour du cyclone car l'adhésion à ce cataclysme est beaucoup plus problématique. C'est la raison pour laquelle nous voudrions en faire une étude plus systématique.

La mise en texte du cyclone dans *L'Île et une nuit*

Une présence « géographique »

Commençons par une définition courante de ce cataclysme. Le cyclone est « une tempête caractérisée par le mouvement giratoire convergent et ascendant du vent autour d'une zone de basse pression où il a été attiré violemment d'une zone de haute pression ».

Si l'on se réfère maintenant à l'*Encyclopaedia Universalis* et à *GEO*, de septembre 1992 « Guadeloupe : un an de malheur » (n° 139)[1], on peut recueillir les précisions suivantes : les cyclones sont des hydrométéores qui se manifestent par des vents très violents dépassant 200 km/h, par des pluies torrentielles dont la hauteur peut dépasser 200 mm en quelques heures et qui sont accompagnés de raz de marée dus à la pression du vent à la surface de la mer et de légers séismes ayant la même origine. À raison de 93 %, les cyclones se produisent entre le 15 juillet et le 15 octobre. Mais il n'existe aucune règle mathématique concernant leur fréquence. La Trinité est la seule île rarement touchée. De 1953 à 1967, il n'y a eu que trois années calmes dans la Caraïbe. La Guadeloupe a été dévastée par *Betsy* en 1956, puis *Edith* en 1963, *Helena, Cléo* en 1964, par *Inès* en 1966, *David* et *Frédéric* en 1979. Les cyclones naissent, soit dans les parages des îles du Cap-Vert, soit au large de la Barbade et presque toujours au nord du 10ᵉ parallèle – ce sont les cyclones atlantiques – ou alors dans la mer des Antilles et le golfe du Mexique – ce sont les cyclones caraïbes. Les cyclones progressent lentement (10 km/h) vers l'ouest en se déviant vers le nord-ouest. Leur diamètre atteint en moyenne 100 kilomètres. On y distingue l'œil ou centre de la dépression, autour duquel les vents tourbillonnent horizontalement dans le sens inverse des aiguilles d'une montre et décrivent verticalement un gigantesque mouvement de convection entraînant la formation de cumulo-nimbus. L'œil, ceinturé de vents extrêmement violents, a été maintes fois décrit : l'un de ses aspects les plus spectaculaires est le calme qui intervient presque soudainement. La durée de ce calme est souvent de l'ordre d'une demi-heure à une heure ; elle dépend évidemment de la largeur de l'œil et de la vitesse de déplacement du cyclone, laquelle n'a pas de commune mesure avec la vitesse des vents auxquels il donne naissance (le cyclone peut devenir quasi stationnaire sans que faiblisse l'intensité des

---

1.   Un certain nombre de données sur les cyclones ont été recensées par Anouchka Vingtier dans son mémoire de maîtrise sur *L'Île et une nuit*, sous notre direction, à l'université de Caen, en octobre 1997.

vents qu'il dirige). Les cyclones tropicaux constituent un phénomène essentiellement maritime, bien qu'ils puissent, au cours de
leur trajectoire, sévir sur les bordures continentales. La désagré-
gation du cyclone commence et s'effectue plus ou moins rapidement dès qu'il quitte les mers chaudes ou lorsqu'il s'engage sur
le continent.

De ces informations, il est possible de retenir pour la lecture du
roman : l'importance des vents et des pluies (air et eau) ; le
phénomène cyclique, violent imprévisible ; l'idée de spirale et de
tourbillons ; l'horizontalité et la verticalité ; les mouvements
centripète et centrifuge ; les raz de marée et les séismes ; l'œil et le
calme qui l'accompagne et en conséquence, le bruit et le vacarme
du cyclone. La saison assez déterminée pendant laquelle ils se
manifestent et leur localisation (zones côtières et insulaires). L'idée
enfin que le cyclone est un passage.

Dans un entretien, Maximin a raconté que son premier poème
fut pour la Soufrière et qu'un autre fut écrit sur le cyclone de
1956 :

> « Nous étions séparés. [...] Nous, au morne La Loge, nous
> étions comme les premiers chrétiens, dans une cave. Après, nous
> sommes restés coupés les uns des autres pendant plusieurs jours.
> C'est là qu'on se rend compte qu'il y a d'autres modes de
> communication que la vision directe des autres. C'est le rôle de
> l'art et de la création de proposer une présence, même pendant
> l'absence[2]. »

Nous avons déjà évoqué la manière dont les catastrophes
naturelles sont en symbiose avec l'être antillais dans l'écriture de
Maximin. Toutefois, le cyclone « ce diable qui vient toujours
d'ailleurs » ne sera pas aisément intégré et valorisé, contrairement
à l'éruption volcanique qui est la terre même de l'île et qui porte
aussi fertilité. Le cyclone est personnifié en force sauvage, brutale,
effroyable, sauf peut-être... son « œil » : c'est une catastrophe
naturelle très destructrice. Le travail d'écriture sera de contourner
en positivité ce verdict sévère du réel.

---

2.   Entretien avec André-Jean Vidal, in *France-Antilles*, n° 315, 1995, pp. 2-3.

La première phrase du roman est brève mais claire : « L'autre cyclone du siècle est annoncé.» Claire surtout si l'on a à l'esprit le cyclone dévastateur de 1979 et qu'on est attentif aux informations que le texte donne au détour d'une phrase : ainsi à la troisième page : « Dix années sans cyclones altèrent l'héritage des gestes instinctifs de survie.» (p. 13.) Ou à la huitième page, le paragraphe consacré à Rosan :

> « Rosan nous surprendra toujours avec son obsession de préparer les résistances plutôt que d'organiser les fuites, avec ses documents de science ou d'histoire sur la géographie de nos malheurs et de nos luttes, ses petits carnets noirs sur l'éruption de la Soufrière en 1976, et sur le cyclone David en 1979. Minuscule pêle-mêle en discrets caractères de consignes de sécurité, de gestes de prévention, d'hypothèses de prévisions, de relevés savants et de poèmes méticuleusement choisis pour leur précision à décrire notre cadastre.» (pp. 18-19.)

Claire donc mais elliptique puisque le géographe, lui, parlerait du cyclone Hugo se déchaînant sur la Guadeloupe en 1989 avec autant de violence que le cyclone David en 1979. Dans les entretiens après la parution du livre, Maximin explique alors qu'il a préféré un cyclone innommé pour lui conserver tout son caractère emblématique[3].

Tout ce qui « fait » le cyclone et que l'observation humaine, – celle des anciens, des populations ou des scientifiques –, a pu enregistrer à son sujet se retrouve dans le roman. En particulier les points que nous avons synthétisés en commençant par un rappel

---

3.   *Cf.* P.D., « Daniel Maximin dans l'œil du cyclone », in *L'Événement du jeudi*, 19-10-95 : « Dans le panier des Caraïbes, les cyclones sont souvent baptisés de noms de fleurs, de parfums ambrés, de douces fiancées. [...] Celui-ci s'appelle Hugo. Il a sévi en 1989.» ; Gérard Meudal, « En plein dans l'œil », in *Libération*, 28-09-95 : « Il y a eu Betsy, Édith, Helena, Cleo, Ines, Hugo qui sont passés l'un après l'autre. Parfois même ils sont venus à deux, comme David et Frédéric en 1979, ou Luys et Marilyn. [...] Ce sont quelques-uns des cyclones qui ont ravagé la Guadeloupe depuis une cinquantaine d'années. Avant les progrès de la météo, on ne tentait pas de les amadouer en leur donnant un prénom. Un des plus violents, Hugo en 1989, se retrouve au cœur de *L'Île et une nuit*.»

géographique sommaire. Il ne semble pas ici qu'il y ait erreur d'information sur ce phénomène naturel.

Par contre, le roman, en sélectionnant et en insistant sur certaines caractéristiques, transforme le cataclysme en acteur du vécu guadeloupéen. En plus de cette personnification, il se l'approprie aussi en le « branchant » sur d'autres mythes, symboles, personnages de l'imaginaire antillais, latino-américain et universel.

Un cyclone « littéraire » parmi d'autres

En effet, avant d'analyser son traitement romanesque, rappelons brièvement son « environnement littéraire ».

* L'influence de Césaire, bien sûr et *Le Cahier d'un retour au pays natal* où l'on peut relever : « moi homme [...] que je me comprenne entre latitude et longitude » (p. 65), « Septembre l'accoucheur de cyclones » (p. 45), les symboles de l'arbre, du soleil, du vent. Césaire a parlé à propos des Antillais d'« une détermination géographique très précise » et l'exprime encore dans un entretien récent : « Ce sont des terres de colère, des terres exaspérées. des terres qui crachent, qui vomissent la vie. [...] C'est une sorte de sommation de l'Histoire et une sommation de la Nature, à nous faites[4]. »

* Lafcadio Hearn, dont nous avons déjà vu l'utilisation que Maximin en faisait pour le conte, publie en 1889, *Chita, un souvenir de l'île dernière*, (rééd. Gallimard, 1993). Ce court roman décrit une nuit de cyclone, celle du 10 août 1856, pendant laquelle un ouragan effroyable se déchaîne et balaye L'Île Dernière un peu à l'ouest de Grande-Isle. Au lendemain de la catastrophe, un pêcheur de la côte aperçoit une table de billard qui flotte et à laquelle se cramponne une femme morte qui tient dans ses bras son enfant encore vivant. L'enfant sera sauvée.

Chez Hearn, la nuit du cyclone est le point de départ de l'intrigue. Maximin se souvient du texte, à différentes reprises et très explicitement aux pages 130-131 :

---

4. Interview d'Aimé Césaire, *Le Courrier de l'UNESCO*, mai 1997, p. 6.

« Telle une Légende de L'Île Dernière, à la sixième heure de l'offensive du cyclone : le vent arrivait en soupirs énormes, et faisait monter la plainte des flots grossissants, comme si le rythme des eaux épousait celui des airs, et que les vagues de la mer répondaient à l'onde du vent, un rouleau pour chaque bouffée, une lame pour chaque soupir, mais une voix, qui traversait le monde de ses plaintes, poussait de vrais ululements, des cris de cauchemar : le cyclone valsait ce soir avec le raz de marée pour partenaire. »

Ainsi l'avancée de la destruction, œuvre des deux agents conjugués, eau et air, dessine une danse. Le rythme de la phrase essaie de mimer la nature, un mouvement en appelant un autre. Cette idée de la nature chorégraphe est bien celle que l'on trouve aussi dans *Chita* : « Vers le milieu de la matinée le vent était devenu un mugissement, qui s'éteignait parfois en un sourd grondement, pour éclater en un vacarme assourdissant. » L'action du vent et le vacarme qu'il impose sont envahissants dans les deux textes ; toutefois la mer reste l'élément dominant pour Hearn : « Et puis ... et puis les vagues géantes arrivèrent en tonnant à travers les ténèbres, grondement sur grondement. » L'évocation de Hearn, la description très précise du cataclysme, suggère que la guerre des éléments engagée par le cyclone aboutit à un paysage de désolation et de mort. Il utilise d'ailleurs tout un vocabulaire guerrier. La Nature est un « sphinx incompréhensible ».

* Le Saint-John Perse des poèmes de *Vents* plus particulièrement (Gallimard, Poésie, 1960). Le roman intègre aussi « une lettre inédite » du poète qui décrit le cyclone, mettant en scène le vent (ce que fait aussi Maximin) : la lutte à mener est stratégique et il est préférable d'être initié. Cette idée se retrouve aussi chez Maximin qui regrette la perte des gestes de survie (p. 13). Le phénomène donne au poète une impression de « recréation du monde », de renaissance.

« Au dehors, le cyclone déchaîné assurait les finitions de la catastrophe. Et pourtant, elle entendait déjà sourdre la résistance de l'île au travail sous le masque du désastre en cours. Tout comme la beauté des rythmes fondateurs était cachée sous le masque de la plus grande laideur du crapaud-tambourineur. Tout comme l'énergie des résistances et des envols sous le masque fragile et délicat du colibri trois fois bel cœur. » (p. 178.)

* Il faudrait aussi voir du côté de *L'Ouragan* d'Asturias (Gallimard, 1955), du *Livre des fuites* de Le Clézio, de *L'Enfant de la haute mer* de J. Supervielle (Gallimard, 1931), de *Marelle* de J. Cortazar, références essaimées par Maximin dans son texte pour dire avec et dire aussi autrement.

* Notons enfin que, la même année que *L'Île et une nuit*, en 1995, paraissent, au mois de septembre également, deux romans antillais, *La migration des cœurs* de Maryse Condé (Laffont) avec une citation classique du cyclone, comme élément du décor, reflet un bref instant du caractère imprévisible et violent des protagonistes (*cf.* pp. 26-27) ; et *L'Espérance-macadam* de Gisèle Pineau (Stock), roman où la violence du cyclone est métaphore du viol destructeur de vie et de féminité heureuse. Le cyclone est ici une force actantielle qui travaille en profondeur les significations du texte ; la symbolique du cyclone assimilé au père violeur rejoint notre analyse précédente sur le rapport que le roman de Maximin entretient avec *Les Mille et une Nuits* et l'assimilation du cyclone à Shariyar, le sultan violeur. Le rapprochement mériterait, à lui seul, une étude autonome.

Son intégration romanesque

Commençons par suivre son introduction dans le premier chapitre, celui de la première heure. Nous venons de voir que la première phrase n'est pas suivie immédiatement d'informations précises mais de qualifications (le cyclone n'en manquera pas tout au long du récit) : « énergie-désespoir » et « hasard » de la dévastation. D'entrée de texte, le cyclone est désigné comme une force suicidaire qui frappe au hasard. En face d'elle, un « nous » (auquel la trilogie nous a bien habitués...) de passivité active, une attitude à adopter contre la violence incontrôlable : « Nous allons laisser vivre la catastrophe jusqu'à la satiété de sa violence. » La voix narrative définit l'espace du « nous » pour cette nuit de cataclysme : veillée de résistance, veillée de survie. Les énumérations des éléments essentiels mêlent le concret, « le pain, les matelas » et l'abstrait, « les yeux, l'espoir ». La coupure électrique et ses conséquences est également humanisée : « la tragédie de la lumière coupée et la résistance de la dernière bougie ». Le « nous » est bien partie prenante car objet de la violence : il ne peut être qu'observateur attentif et pragmatique et non observateur scientifique : le « nous » n'est pas Rosan (dont on a vu plus haut qu'il « nous » surprenait toujours), c'est le « nous » qui refuse de sortir, qui résiste en ne regardant pas le chaos.

Discours d'auto-conviction, appel à la vigilance et à la résistance avec tous les moyens qu'on a en soi et que l'on renforce dans la solidarité avec autrui, « familles enfermées, maisons barricadées, arbres en sentinelle ». Face au danger, l'enfermement est salvateur. Les ravages que le cyclone provoque sur son passage ne sont pas tus : on nous dit que l'électricité et le téléphone marchent encore, que l'on se préoccupe des provisions faites, que les vents soufflent à 300 km/h, que les arbres commencent à souffrir, que dehors, « le cyclone a déjà commencé à noircir la façade de la maison » (p. 25), qu'il démolit tout, etc. Mais ces ravages sont redimensionnés par les exhortations à la résistance et par les évocations de la vie qui continue, la modalisation de la narration entend ne jamais nous laisser sur une impression négative. Modalisation insistante car le cyclone, nous l'avons dit, est moins accepté (ou acceptable) que l'explosion volcanique et le séisme parce qu'il vient d'ailleurs, qu'il est imprévisible et se joue des pronostics :

> « Mais le cyclone, lui, sans pied ni tête, voleur d'eau de mer sans feu ni lieu, faufilé entre cimes et racines, dédaigneux des continents, c'est en plein cœur des îles qu'il vient de très loin nous frapper, juste là où s'élaborent les avenirs sans cimes ni racines. » (p. 15.)

Néanmoins, il fait partie, lui aussi, de la nature tropicale. Cette première définition est suivie d'une première mise au point sur l'histoire des cyclones que l'on contourne rapidement pour revenir à cette sorte de diable farceur. La voix narrative ne se contente pas de rapporter les informations des chroniques, elle les « colore ».

Par exemple, la lettre citée de Saint-John Perse délègue la description précise à une voix autorisée tout en se ménageant une petite incursion : le rejet du domestique guetteur, simple détail, qui marque pourtant le passage de l'organisation de la résistance dans une plantation à celle d'aujourd'hui. Elle modalise aussi les informations en tirant la leçon, pour les humains, des effets des ravages : le cyclone donne conscience des racines, il rétablit une justice sociale puisque les HLM tiennent mieux le coup que les villas des riches !

Ainsi la voix narrative évoque et décrit le cyclone mais toujours dans une tension vers l'avenir : elle refuse « l'engluement » dans le tragique du présent pour affirmer demain : « Et le nouveau soleil sera fait de tous nos rayons redressés. » (p. 17.)

Il y a, nous semble-t-il, rejet de l'observation qui serait celle du géographe : l'insistance sur le repli à l'intérieur est évidente car c'est en restant à l'intérieur qu'on peut résister au désastre pour survivre et non en l'observant de l'extérieur pour désespérer : ne retrouve-t-on pas ici l'ici et l'ailleurs des résistances dans l'Histoire que Maximin développait dans L'Isolé Soleil, lorsqu'il évoquait les « soldats des désertions positives » ? : « Rosan, tu vas te calfeutrer comme nous à l'intérieur, pour ne pas voir de tes yeux l'arrachage intégral du travail de ton année. » (p. 22.) Les termes sont catégoriques :

> « Bien au chaud dans l'histoire vraie, notre imagination non plus ne doit pas quitter l'intérieur de la maison. Surtout ne pas délirer. Mais rêver de l'intérieur. Laisser couler la bonne peur en nous, celle sans plaintes ni soupirs, une peur avec un vrai sujet : une petite fin du monde à endurer sans forcément mourir, avec cassures et déchirements, brisures et craquements. [...] L'île pliée sans rompre, battue ce soir heure par heure, à rebâtir demain. » (p. 25.)

Cette première heure montre bien qu'au delà de la description scientifique du cyclone, ce qui intéresse le romancier c'est l'état des lieux qu'il permet, c'est ce moment de vérité qu'il constitue pour chaque être : chacun de nous se mesure à l'aune de son identité véritable, de ses potentialités, de sa capacité de résistance dans l'île.

Le lecteur vit le cataclysme, en suivant Marie-Gabriel de pièce en pièce ; à chaque démolition, elle se replie, abandonnant une plus grande protection qu'elle ne supporte pas (la penderie). Elle sort au moment de calme et enfin, lorsque la maison n'est plus habitable, elle se réfugie dans la voiture : cet itinéraire réaliste est raconté comme un chemin initiatique, une remontée vers l'origine pour habiter totalement une identité de femme : ainsi, réfugiée dans la baignoire à la cinquième heure, Marie-Gabriel laisse couler l'eau et s'immerge à la sixième heure en une noyade simulée qui est remontée dans les eaux du fleuve-conte. Mais nous étions prévenus, dès la p. 39 que « les mêmes eaux donnent mort et renaissance ».

Il serait trop long de relever tous les passages qui font entendre le vacarme du cyclone. Nous ne prendrons que de simples exemples :

> « L'explosion de l'eau sur le toit et le vent qui tombe du ciel en cataracte assourdissent la chambre qui craque, comme un tombeau disloqué. Mais un tombeau provisoire dont votre soif de vie colmate fissures et brèches au fil de la nuit » (p. 48) ;

lorsque Marie-Gabriel passe de la chambre au salon, on note qu'il faut : « parler à haute voix contre le vacarme du vent ».

Le bruit est tel que l'Œil, quand il survient à la quatrième heure, se rend bien compte que Marie-Gabriel ne parvient plus à entendre le silence : « L'Œil du cyclone s'était présenté sans rien pouvoir lui dire, à cause du silence mal venu à ses oreilles cassées par le fracas de ses trois premières heures de survie. » (p. 71.)

Peu à peu, elle parvient à sortir du froid, de la peur et du bruit pour accomplir les gestes de survie et être prête pour la voix de la musique, sa compagne de résistance de la cinquième heure.

Nous avons vu que, d'un point de vue scientifique, le cyclone se caractérise par des mouvements circulaires autour d'un axe. Dans le roman, cet axe est l'existence humaine, actualisée ici en « existence de Marie-Gabriel ». Autour de l'axe, deux mouvements, l'un ascensionnel et l'autre rotatif, ceux de la spirale.

« Elle manifeste l'apparition du mouvement circulaire sortant du point originel ; ce mouvement, elle l'entretient et le prolonge à l'infini : c'est le type de ligne sans fin qui relie incessamment les deux extrémités du devenir[5]. »

On pourrait dire que la spirale représente une rotation ascensionnelle et qu'elle est l'image même de l'itinéraire de Marie-Gabriel dans ce récit.

Cette image de la spirale rejoint celle de la Bête-à-Sept-Têtes qui caractérise aussi le cyclone dans *L'Île et une nuit*. Avec sa « queue énorme sept fois entourée autour de son corps » (p. 132), on a bien une image « tournée sur elle-même », exprimant l'idée de l'éternel retour. Le cercle rompt avec la linéarité pour transcender l'animalité du monstre et impulser le désir de vie. Image de la circularité que l'on peut lire aussi dans le port du bracelet à proverbes qui traverse toute la trilogie comme signe de mémoire, de transmission et de recommencement. Lorsque Marie-Gabriel se pare pour sortir elle met « sept attributs de parure » (p. 87) qui presque tous ont une forme circulaire. De tous ces « tourbillons », Marie-Gabriel se fait une armure. Le *Dictionnaire des symboles* précise : « le cercle protecteur prend la forme, pour l'individu, de la bague, du bracelet, du collier, de la ceinture, de la couronne [...] maintenant la cohésion entre l'âme et le corps ».

Temps cyclique, spirale et cercle, à l'idée de fatalité du cyclone, Maximin préfère celle de hasard qui, lui, « disperse les cartes [...] pour une donne nouvelle et plus égale : qui a le moins perdra le moins, qui a plus aura plus perdu » (p. 98). Ainsi la Nature, même lorsqu'elle apparaît comme dévastatrice, rétablit un certain équilibre des déséquilibres. L'auteur déclare, dans un entretien :

« On revient toujours aux souvenirs du passé pour composer le présent et vice-versa. L'idéal et mon rêve d'écrivain, est de voir le lecteur ou la lectrice composer sa septième heure. C'est un appel à l'autonomie du lecteur[6]. »

---

5. *Dictionnaire des symboles*, « spirale ».
6. « Propos recueillis » par M.C. Pernelle, in *Black'Art*, sept.-oct.-nov. 1995.

Le cyclone est ainsi significatif pour la collectivité et pour l'individu.

Repli de Marie-Gabriel aux Flamboyants, lieu-poteau mitan, lieu de l'origine, habitation-clef de la trilogie[7]. On s'y replie, on peut aussi y accueillir. Mais elle est le lieu de la solitude de Marie-Gabriel. La solitude était définie, dans L'Isolé Soleil comme un fruit : la maturation du fruit s'inscrit dans un cycle naturel. La solitude met à l'abri et préserve : « Vous inventez autrui toujours revenant. La solitude vous donne des langues. » (p. 41.)

Ainsi ce mouvement centripète prépare le mouvement centrifuge. Ou plutôt que prépare, il serait plus exact de dire qu'ils coexistent, qu'ils se développent simultanément. C'est à partir de ce lieu, la Maison, que s'ouvrent les « solitudes blotties », « les sorties imaginées hors de ses mots » (p. 71).

Les livres sortent du moi et ouvrent au monde : « Chaque livre en appelle un autre pour offrir un lendemain à sa fin. » (p. 48.) Toute une étude ici peut montrer comment la citation d'autres œuvres ou l'allusion à personnages et événements marquent cette sortie du cocon de l'isolement. « Écrire, dit Maximin, c'est continuer la conversation avec les livres. »

Le conte remplit une fonction analogue, peut-être plus profonde, car son insertion n'est pas de l'ordre de la « conversation ». Ce travail de l'écriture de Maximin sur la parole du conte est à l'œuvre dès le début de la trilogie, comme nous l'avons vu dans le chapitre que nous lui avons consacré. Il trouve son couronnement ici, en quelque sorte, d'une part par l'invention du conte de la sixième heure, au carrefour de réminiscences littéraires, de l'antériorité du texte et de l'imaginaire propre de l'écrivain ; et d'autre part par la référence aux Mille et une nuits, le conte des contes, Marie-Gabriel devenant une « Antillaise Shéhérazade », luttant de toutes ses forces contre le cyclone-Shahriyar.

La musique, enfin, ce langage essentiel[8], supérieur à la littérature, emplit la jeune femme : « Leurs titres ou leurs paroles ne peuvent rivaliser avec mes sens. Est-ce qu'on relit une page

---

7.   Cf. la très belle évocation de la demeure à la p. 28.
8.   Cf. article de B. Mouralis, L'Isolé Soleil de Daniel Maximin, ou « La sortie du ventre paternel », in Présence Africaine, vol. 121-122, 12, 1982, p. 426.

aussi souvent que l'on me réécoute ? » (p. 112.) Elle promet assistance à Marie-Gabriel : « J'ai assez de puissance pour t'offrir mille minuits de mélodies capables de repousser d'une heure ta chute dans le malheur de cette nuit sinistrée. » (p. 102.) Finalement le cyclone est salvateur parce qu'il permet à l'être de se libérer. L'Œil regarde Marie-Gabriel pleurer :

> « Pour l'Œil, le flot de ces larmes ne pouvait qu'être salutaire, à l'image du vrai déluge de vents qui détachait l'île de ses passés trop ancrés, pour un formidable bain-démarré, un déracinement des maux de terre, un accouchement d'œufs et de bourgeons rescapés, une séparation d'avec le trop ancien, le trop lourd à porter, les maisons et les arbres trop ancestraux. Il se souvenait des légendes anciennes de renouveau, de l'avenir initié sous condition de briser les sept portes enfermant le pays. » (p. 81.)

Il permet aussi de reconnaître le pays :

> « Ton pays, il va falloir le reconnaître, au milieu des signes de mort qui rôdent partout où avance la vraie vie sur les décombres des nuits. Nous savons depuis toujours ramasser des injures pour en faire des diamants. » (p. 154.)

Cette dernière phrase est l'écho de celle que Siméa avait écrite pour Suzanne Césaire : « Oui, faisons des diamants de nos injures. Collons au sol nos oreilles pour écouter passer demain. » (*L'Isolé Soleil*, p. 174), écho aussi de René Ménil dans *Tropiques* : « Nous ramassions des injures pour en faire des diamants. »

L'épopée poétique qu'est *L'Isolé Soleil* intègre, dans son avancée, séismes, éruptions, cyclones, raz de marées. *Soufrières* se spécialise géographiquement, pourrait-on dire, puisque toute la place est donnée au volcan, en cet été d'attente du cataclysme, que fut l'été 76. L'explosion volcanique est bien le sujet visible du roman mais le traitement documentaire est secondaire par rapport à son traitement humain. C'est dans ce sens que poursuit *L'Île et une nuit*. Se réconcilier avec la géographie – un des leitmotive du discours du roman –, c'est l'accepter au moment même des catastrophes naturelles et non pas seulement dans l'éclat et le chatoiement du versant heureux du climat tropical. Énonciation majeure et position centrale dans la trilogie : seuls entendront et accepteront ce « je », ceux qui accompagnent ses surgissements et ses mouvements. Accepter et comprendre : non pas se résigner mais intégrer dans son vécu la géographie de l'île et s'y adapter. « Et ma parole est terre », dit la Soufrière. Dans le « dialogue » que Maximin engage, dans son projet même, avec Aimé Césaire, on discerne sa position particulière. Ce n'est plus le poète qui est « la bouche de ceux qui n'ont pas de bouche », c'est le Volcan, l'île, la terre qui offrent l'enracinement. Face aux « excès » de la nature tropicale, à la récurrence de ses catastrophes qu'on peut prévoir mais qu'on ne peut prédire, le romancier – la littérature plus largement – se fraie une voie entre la culture empirique du risque développée traditionnellement et le discours scientifique moderne pour lequel « la catastrophe » est inadmissible. Le discours du roman s'empare du vide – comment accepter le cataclysme à l'échelle de l'humain ? – pour se construire et aider à vivre : la catastrophe naturelle est rupture du quotidien humain mais elle n'est pas rupture dans la continuité naturelle. Entre la nature et l'homme, il y a un équilibre à négocier qui n'est pas maîtrise absolue de l'un sur l'autre mais recherche d'une voie de cohabitation et acceptation des cycles.

Afin de ne pas finir...

« *Laisser toutes les fenêtres ouvertes*
et la clé sur la porte. »
(*Soufrières*, p. 180.)

Les chapitres qui précèdent ont voulu frayer des voies de lecture, des tracés dans les ravines du texte. Ils n'ont souhaité ni l'enfermer dans une vérité unique, ni clôturer son pouvoir de rebondissement. Le rêve du critique et de l'écrivain est qu'elles soient incitation à lire, chaque lecteur / lectrice trouvant ce que « sa soif » veut y découvrir.

Nous avons évoqué, d'un chapitre à l'autre, l'appel des racines, l'importance des lieux où l'on naît, de la géographie comme moteur de l'Histoire, de l'Histoire comme mémoire et actualité. Le mouvement n'est pas de nostalgie et de crispation pour retrouver une pureté originelle mais au contraire d'ouverture dans l'acceptation du réel et de ses « leçons », celles du métissage. Nous nous sommes attardés plus précisément sur l'appel à la révolte et la remise en cause des idées reçues dans chaque geste du quotidien, du plus humble et familier au plus inattendu.

Nous avons moins parlé, par contre, de l'appel de l'amour et du désir avec ses fulgurances et ses impossibilités. Pourtant, il est là, présent à chaque page, bouleversant dans ses évocations.

Tout se fait par amour... Mais une fois qu'on a dit cela, qu'ajouter ? ! ...
Marie-Gabriel est entre deux amours parce qu'elle cherche. Je dirais que c'est l'histoire de la quête amoureuse

plutôt que l'histoire de l'amour. Il n'y a pas de certitude de couple car on n'est pas dans sa réalisation ; quête et retrouvailles amoureuses avec Antoine, amitié, affection, connivence, amour intellectuel... Pas de vie commune. Mais il y a une telle soif d'amour chez eux tous et une soif de réaliser quelque chose de bien, de complet qu'il ne s'agit pas de ne pas prendre de risque en évitant cette vie commune. Ils savent à quel niveau ils veulent que cela se situe.

Marie-Gabriel est toujours solitaire, autonome, parce qu'elle a cette quête en elle. Le récit de la quête ne peut être dans le récit de l'accomplissement. Il y a beaucoup de confiance, de connivence, de plénitude mais la question qui ne se résout pas est celle de la durée.

Effectivement, dans mes romans, le couple a une difficulté à perdurer, particulièrement peut-être pour les couples dits « mixtes » car ils subissent plus l'épreuve de l'Histoire et de ce que chacun porte en lui de différent.

Si je reviens sur le couple Ariel / Toussaint, l'échec n'est pas de son côté à elle. Elle est dans l'acceptation du métissage mais lui fait tout pour colorer son échec personnel en échec collectif, en la repoussant dans sa « blancheur » de Méditerranée alors qu'elle n'est pas dans cette situation d'extériorité comme le montre sa connivence avec la grand-mère antillaise.

Tous sont en quête mais certains sont plus marqués que d'autres par l'échec et le ratage comme Inès, Toussaint. Ils ne sont pas aboutis et partagent la même incapacité à vivre l'épanouissement.

Dans le chapitre deux, on a parlé du jeu avec les chiffres : le chiffre 7, bien sûr, mais deux autres chiffres semblent tout aussi importants dans cette liaison avec le couple, le 2 et le 3. Le chiffre trois désigne peut-être alors l'être en quête qui s'appuie sur la gauche et la droite... ?

Ce n'est pas une question de trio pour arriver à être parfait. C'est à chaque fois la recherche d'être complet. Avec Adrien, c'est plus de l'ordre du double que de l'ordre de la

fusion. Le 3 est une recherche de complétude et non le signe
d'une compensation. C'est 2 qu'ils veulent faire chacun. Ce
n'est pas l'idée du partage.   Tous ces personnages nous offrent des fraternités de
quêtes. Ils se ressemblent dans cette recherche. D'où l'estime,
la compréhension, la connivence qu'il y a entre eux sans qu'il
y ait jalousie, soif de remplacement.

Mais ce ne sont pas des idéalistes naïfs : ils ont la soif
d'agir, de réaliser et cette force leur fait mettre de côté les
mesquineries, l'envie de posséder ce qu'a l'autre, le désir
d'écraser ou le machisme. Disons que Soufrières *est plus le*
récit de la quête de l'autre...

R.-B. Fonkoua remarque très justement que l'expression de
l'amour chez Maximin n'est pas celle d'un romantisme désuet
mais l'affirmation d'une présence

« aux côtés de ses semblables, c'est-à-dire des êtres chers ; c'est
gagner tous les jours un peu de temps sur la durée et affirmer un
peu plus chaque jour son espoir du futur. [...] L'érotisme installe
entre les individus des rapports de complémentarité, de complicité
et non plus de hiérarchie, de filiation parentale ou archétypale, et
contribue à l'expérience du temps subjectif [1] ».

Nous avons approché l'appel de l'oralité et de la culture du
passé avec esprit critique et potentialité d'enthousiasme en étudiant
les proverbes et surtout le travail remarquable fait autour du conte.
Nous y sentons bien cette recherche de « nous » dans le « nous »
de la mémoire et de la collectivité. Mais n'y a-t-il pas aussi un sort
particulier à faire à la musique si présente dans la trilogie ? Oralité
et musique : surenchère ou sceau d'authenticité ?

L'oralité n'a pas plus d'importance et de valeur d'authen-
ticité que l'écriture dans la Caraïbe. L'oralité n'est pas plus
que le reste, la modernité par exemple, gage d'authenticité, à
la différence de pays qui ont de vraies racines lointaines dans

---

1.   R.-B. Fonkoua, *op. cit.*, pp. 812-813.

l'oral et pour lesquels c'est un héritage vrai. L'oral, l'écrit, ce sont deux sources conjointes ; il y a une sorte d'imposture dans cette prédominance du conte. **Par ailleurs, il faut bien insister sur le fait que l'oralité est critique ; ce n'est pas une oralité de célébration.** *Le « Cric Crac » est une pratique critique qui s'éloigne de la célébration louangeuse du griot. Le conte réveille, met en éveil. On ne peut le comprendre comme évasion dans l'imagination ou comme jouissance du récit de l'histoire seulement.*

Je n'ai pas envie de mettre des contes pour faire authentique, pour faire enraciné, pour donner une couleur-pays : tout cela n'a de valeur que dans la manière dont on l'utilise pour l'actualité, pour parler de son temps. En transformant le conte, je me mets dans l'attitude habituelle du conteur : ne pas prendre ce qui est raconté pour « argent contant ». C'est toujours le même souci d'éviter qu'on porte atteinte à la liberté du lecteur en lui faisant prendre pour le réel ce qu'on lui raconte. En ce sens, l'Afrique est intégrée comme héritage d'un savoir et d'une sagesse et le choix insistant des savoirs yoruba est le choix d'une zone essentielle de présence africaine à cause du vaudou. C'est la même religion avec des adaptations qu'on retrouve dans toute l'Amérique noire (Candomblé du Brésil, Santeria de Cuba, Vaudou d'Haïti). Le Bénin, de l'ex-Dahomey au Nigeria est bien le centre originel de tout cela.

Et puis pour moi, l'oralité, c'est surtout la musique ! Le véhicule de l'Histoire a été la musique. Quand on prend la chanson, c'est le vrai véhicule du quotidien comme de l'exceptionnel. Mon écriture signale en secret une vraie nostalgie de la musique. La musique et la danse ont été liées dès l'origine et sont les manifestations les plus fortes de ces résistances et de ces métissages. Parce que l'accès à l'écriture est plus récent et plus spécialisé : ce sont surtout les femmes (ce que nous disions plus haut des esclaves de la maison) qui l'ont conquise, apprise, intégrée. Les textes les plus lointains qu'on ait sur la condition de l'esclave sont des textes de femmes. C'est pour cela que ce n'est pas étonnant qu'il y ait autant de femmes-écrivains dans nos pays de l'Amérique noire.

Elles ont été les premières intellectuelles au sens historique du terme.

Mais la voix qui chante et les pieds libres qui dansent, cela, c'est dès le début, autant pour les hommes que pour les femmes, et c'est même le lieu le plus émouvant et le plus sensible des secrètes connivences amoureuses entre les deux « malgré tant et tant de malgré », malgré les solitudes, les interdits et les incompréhensions ! Et l'oralité est là, passe par là.

Cette question de la musique est d'autant plus intéressante qu'elle nous invite à revenir sur la question de l'authenticité. Remet-on en cause l'usage du saxophone, du violon ou d'un autre instrument ? Pourquoi la musique est-elle moins contestée que la littérature ? Sans doute parce que l'outil de médiation de la littérature, la langue, est un outil que tous possèdent. Mais nos musiques viennent d'Europe. Bob Marley prend la batterie et la guitare électrique et on ne le lui reproche pas. Et à partir de là, une musique de contestation est inventée.

Le jazz de Harlem et la musique cubaine sont les musiques qui ont bercé notre enfance ; il n'y a rien de seulement guadeloupéen, de seulement antillais. Notre plus grande ouverture a été la musique : c'est en elle qu'on a le plus pris du monde et c'est par elle qu'on a le plus donné. Elle ne peut être une clôture d'authenticité car elle change sans cesse de tradition ; ses maître-mots sont inventer, faire du neuf, improviser.

Musique, poésie, corps, désir, quête : tous ces mots qui reviennent expliquent peut-être l'importance qu'a, dans l'écriture, la présence de L.G. Damas[2] qui n'est pas si fréquemment reconnu comme un aîné-frère par les écrivains d'aujourd'hui...

---

2.   Ici aussi, il y aurait toute une recherche à entreprendre sur le dialogue qu'établit la trilogie avec les textes des devanciers. Le travail a été, en partie, réalisé dans la thèse de Dominique Chancé pour Césaire, *L'auteur en souffrance – Essai sur la position et la représentation de l'auteur, dans le roman antillais contemporain (1981-1992)*, Thèse de doctorat nouveau régime, Université de Caen, novembre 1998, sous la direction de Mme le

Le Jeu de l'amour me frappe beaucoup : en fait c'est un je et un tu qui arrivent à faire un nous et le nous se dénoue parce que justement s'il fait trop corps, s'il ne préserve pas l'autonomie de chacun, il y a perte. On se retrouve dans ce dos à dos dont parle Damas :

> *Pour toi et moi*
> *qui ne faisions l'un et l'autre*
> *qu'un seul pris hier encore*
> *au jeu du nœud coulant [...]*
>
> *voici que chante pour nous deux*
> *la rengaine de l'un sans l'autre*
> *tous deux désormais dos à dos [...]*

L'amour est le thème essentiel de l'œuvre de Damas. L'engagement corps et âme, chair et âme et la musique expliquent les attirances très fortes que j'ai pour son œuvre. On sent un être engagé dans ce qu'il vit au plus près. S'il est encore au second plan aujourd'hui, c'est parce qu'il ne répondait pas à la demande d'engagement de l'époque où il fallait cacher son être derrière son discours. Avec lui, on est dans le concret comme avec le Cahier *de Césaire. Damas a été un médiateur et il est resté dans la poésie. Une poésie plus intimiste que la poésie porte-drapeau que l'on peut déclamer dans un meeting. Ma proximité par rapport à Damas, ce sont ces questions qu'il traite dans la chair et non abstraitement dans le mythe ou dans les idées, mais dans le corps et âme.*

Je disais que mon écriture poétique s'origine dans une nostalgie de la musique. L'oreille joue un rôle majeur, au point que c'est gênant parfois, par exemple pour les dialogues. Je

---

Pr. Henriette Levillain, 635 p. *Cf.* pp. 342-343, et pour Glissant, *cf.* pp. 15 *et sq.* Plus systématiquement pour Glissant et Fanon dans la thèse de R.-B. Fonkoua, déjà citée. La quatrième partie du tome 2, presque entièrement consacrée à Maximin, propose une analyse très complète de l'intertextualité entre *Peau noire, masques blancs* de Fanon et *L'Isolé Soleil*. Il faudrait aussi s'intéresser aux « mères » : Suzanne Césaire, bien sûr mais aussi Adrienne Roussy et Gerty Archimède.

n'aime pas écrire des dialogues. Il faut que le rythme tombe
bien musicalement. J'écris en écoutant de la musique mais cela
n'a pas une influence directe. C'est une sorte d'osmose qui
nourrit le rythme, la musicalité de la phrase. Entre l'œil et
l'oreille, l'écriture passe, je ne sais comment...

Bruissements d'ailes, rythmes et désirs...

On comprend que l'image du colibri soit fondamentale : le
colibri délivreur ? Guerrier frêle et puissant, il est aussi la
fragilité à assumer. Une des phrases clefs de L'Isolé Soleil
c'est celle qu'Adrien adresse à son amie : « Calcule tes forces
et fais confiance à ta fragilité.» La vie, c'est cela : afficher son
identité, son être, si possible avec d'autres, avec une commu-
nauté entière dans laquelle on se sent à l'aise. Humain, jamais
trop humain. La résistance, c'est cela aussi et non une confron-
tation : si résistance et oppression se font dans les mêmes
modes, à quoi cela sert-il, sinon à faire des successions
d'oppression ? Pour moi, le modèle de l'existence, c'est tenter
d'installer des connivences qui ne soient pas fondées sur
l'exercice d'un pouvoir.

La fragilité à assumer ? Dans les sociétés, dans les peuples,
dans le couple : montrer à l'autre ce qu'on est et lui proposer
un rapport de connivence et pas seulement un rapport de force.

C'est pourquoi le bonheur de beaucoup d'écrivains, comme
nous, du Tiers monde, c'est que l'écriture rejoigne la morale :
le combat politique quand il est vrai, quand il n'est pas un
combat de maîtrise, rejoint le combat littéraire. Je dois faire en
sorte de ne pas donner des ordres à celui qui me lit, des
œillères à qui souhaite me parcourir. L'objectif que l'on
s'assigne est atteint quand l'écho ne renvoie plus à une
constellation d'ego qui cherchent à se reconnaître individuel-
lement dans ce qui leur revient mais qu'au contraire, on
accepte d'être dans une confusion où l'on sait qu'on est partie
prenante mais où l'on n'arrive plus à reconnaître sa propre
voix parce qu'on a confiance dans les autres qui l'ont
accueillie.

ANNEXES

« Il faudra que les romanciers, qui sont d'abord des conteurs, s'habituent à présenter au lecteur, en même temps que le livre fini, le journal du roman. Avec quelle argile ils ont façonné leurs personnages, quels rêves ont nourri leur passion, quelles vérités illustrent les incidents. L'alchimie du souvenir, de l'imagination, de la sensation trompeuse et de la rhétorique indispensable à l'expression du vivant. »

Vincent Placoly, *Frères Volcans.*

ANNEXE 1

Daniel Maximin, *L'Isolé Soleil*
Débuts du manuscrit (Textes inédits)

L'écriture
(12-08-1979)

Dès l'aube, j'ai reconnu l'insurrection des feuilles du flamboyant,
    et leur couleur m'a donné force et courage de me lever.
J'ai ouvert la persienne à l'imagination qui déshabillait l'angoisse
    à huis clos.
J'ai vu l'oppression grimper aux arbres déracinés.
J'ai vu désaccorder les gestes et les paroles, les rêves et les réveils,
    l'impatience partir cabri et revenir mouton.

Seul l'amour agissait en silence.
J'ai laissé faire l'amour ; un cœur foufou boule d'arc-en-ciel, des
    yeux sans balisage, des corps bouche à oreille.

J'ai offert mon zénith aux pays de misère, des éclaircies de sang
    pour les révoltes justes.
J'ai dîné de racines dans les cases d'un peuple sans drapeau.
J'ai dessalé la mer pour la soif des Soufrières
    et déserté de grands espaces pour respirer la solitude.

J'ai vu l'avenir prendre sommeil dans un cercueil d'enfant bercé
    par sa mère en prison.
J'ai goûté dans ses larmes la sueur des sentiments.

Le soir j'ai fait semblant de me noyer.

Lorsque le fil des jours suit l'aiguille de l'espoir,
*   je raccommode le destin.*

Recherche tes sentiers au hasard des forêts : là où tu hésites à tenter l'aventure au-delà des traces où les nègres marrons font glisser les gommiers vierges travestis en pirogues, là où tu hésites à grimper jusqu'aux falaises de soufre qui dégagent les fumerolles d'une Soufrière blessée à vif ; là où tu hésites à quitter ton oasis comme à fermer un parasol en plein désert.

Cherche bien dans les forêts. Tu ne trouveras pas une seule page blanche dans le feuilleton des arbres. Mais des feuilles vertes et rouges, caramel et grises, aux nervures tissées de messages en sève pour que ceux qui savent les lire aient le désir d'apprendre à lire à ceux qui ne savent pas.

Les mots ne sont pas du vent. Les mots sont des feuilles que le vent fait parler, fait chanter et voler au risque de leur verdure, et laisse mourir un jour pour faire place à des forêts de phrases neuves, douces et fortes, grises et vertes, innocentes et courageuses, à l'orée d'un premier : je t'aime, ou d'un premier : je pars.

D'ailleurs tu connais les arbres mieux que moi. Pendant dix ans, tu as grimpé en fugue sur un pied de letchis pour cacher ta fraîcheur sous l'écorce de ses fruits. Et les mille-pattes se cachaient pour ne pas te faire peur, car ils savent qu'à leur vue, les enfants ne remontent plus dans l'arbre maudit. Pendant dix ans, tu t'es protégée des caresses et des coups dans ton refuge de lectures entre les deux branches maîtresses d'un manguier, dressées comme les cuisses d'une mère géante enfoncée dans la terre, d'où tu es tombée ivre de champagne la nuit de tes dix-sept ans.

J'aime bien les forêts, car elles disent leur générosité. La mer me fait un peu peur, car elle cache sa forêt. Seule peut me jeter à l'eau la tendresse d'une main de femme bercée de sel et d'écume. Et parce que la tendresse est à la générosité ce que les ailes sont au moulin, nos îles sont un vol de colibris posé en pleine mer pour soigner ses ailes brisées. Karukéra, Madinina, Marie-Galante et Désirade : îles de tendresses brisées, où le don tourne à vide, îles de libertés brisées, où le rhum saigne à flots. Sur chaque morne, des ruines de moulins en sentinelles attendent le prochain cyclone qui balaiera les souvenirs de sueurs persistantes dans l'odeur du vesou.

Seule l'eau des forêts est restée pure, loin des chemins de sel, de sucre et de lave. Recherche la patience des sources. Mais prends bien garde aux hommes qui se forcent à ne pas pleurer et aux femmes qui font semblant. Cueille une goutte de rosée tiède sur la plus haute feuille du chou-palmiste, et fais attention à ne pas l'arracher, car ce seul geste entraîne la mort du palmier-royal. Recueille une poignée d'eau fraîche au creux de l'arbre du voyageur, et n'oublie jamais d'y laisser la moitié, sinon tu te transformerais en mirage. Bois l'eau des sources enceintes de la mer. Désaltère ta bouche, et porte la dernière goutte à tes yeux, comme une larme de joie ou de peine, pour voir venir la suite du chemin.

Poursuis encore ta solitude dans les forêts. Tu y trouveras quelques prénoms de femmes déshabillées d'angoisse, et toutes les fleurs enceintes des fruits, toutes les jeunes nées de leur seconde naissance, les sœurs en allées à la mer ou venues à l'écriture, hommes et femmes en mouvement de libération qui se dévoilent, solidaires du monde et du Tiers monde, de Caraïbe en Méditerranée, d'Orient en Occident : fille d'albatros, pupille d'orange, pomme-rose affamée de donner faim, torche des jungles, sœur de soledad, fontaine de soleil et limbé d'outre-mère.

Tu ne trouveras aucune page blanche dans le feuilleton des forêts. Mais tu y apprendras que chaque femme a partie liée avec trois fruits : son fruit de rêve, son fruit de plaisir, et son fruit de souvenir.

Écoute plus loin le silence plus profond de la délicatesse à l'heure où les lucioles allument leurs étoiles. Tu entendras toute une insurrection de cris de révolte et de poèmes d'amour détenus dans la gorge des hommes et des femmes qui parlent sans témoin, qui s'écrivent à huis clos d'île en île des histoires d'archipel sans parole.

Appelle tous nos prénoms qui se caressent et se tutoient.

Appelle tous nos prénoms d'ancrage et de dérive.

Appelle tous les prénoms dont les voyages forment la genèse.

Il y a nos prénoms qui font une avalanche de letchis sur un printemps sans cerises.
il y a des prénoms que sépare un prénom.
il y a des prénoms barricadés dans un seul nom.
il y a des prénoms sur les arbres centenaires qui n'en tirent pas fierté.
il y a des prénoms de fleurs au risque de l'éphémère.
il y a des prénoms d'épiphytes et d'aralies, de siguines et d'orchidées.
il y a nos prénoms d'angoisse et de confiance.
il y a nos prénoms de tendresse, d'action et de passion
quand la nuit emporte le sommeil vers une levée de bonheur
la confusion des cœurs inondés, incendiés, laisse tourner le soleil autour de nos terres, et l'avenir déplacer les montagnes
les corps de pudeur et les corps de fusion se serrent jusqu'à ce que les yeux ne voient plus que les yeux, et de bouche à oreille s'échangent les prénoms
la source doucine le jardin
la tendresse à petite cuiller passe une nuit de rose, le temps pour l'épine de sillonner le visage à petit feu,
l'amour va à l'essentiel comme les étoiles te vont aux yeux.

Et comme le don laisse toujours à désirer l'avenir, les minutes s'égouttent comme pendant l'embellie, les odeurs de terre et de sève parfument le corps d'images tièdes, le désir s'ensommeille autour du cou, et il y a beaucoup trop à dire pour que la bouche ose plus d'un mot. Alors les yeux disent de longues phrases et l'on se pose toujours la même question et l'on attend toujours la réponse et l'on s'endort à deux à moitié rassurés.

Un soir de sourire et de lecture, tu as trouvé dans ta forêt de poésie les feuilles des tropiques où s'inscrivaient les réponses du hasard aux questions des poètes. Et tu m'as révélé que la poésie sonne le glas du vent, que la mort voyage à travers le monde les yeux fermés, que le désir est une passionnante catastrophe, que les yeux ne voient pas l'harmonie mais que l'harmonie voit les yeux, que parler c'est s'envoler à tire d'aile dans la grande brume, que haïr, c'est tenir sa lâcheté bien loin derrière son visage, et qu'aimer, c'est pouvoir dormir tranquille. J'ai voulu te répondre qu'on disait en Afrique que Dieu a créé d'abord l'homme, ensuite le langage et la musique pour combattre son orgueil, et ensuite le sommeil contre l'orgueil des paroles, puis la mort contre l'orgueil du sommeil, enfin le rêve contre l'orgueil de la mort. Mais tu t'étais déjà endormie. Alors j'ai rempli la septième page du cahier vert, avant d'éteindre mes yeux :

Quand le temps rêve à contretemps
que l'arbre du voyageur rêve de voyager
quand l'arc-en-ciel délivre l'orage d'un paraphe de soleil
que la soif rêve à l'orée de la lèvre
les mots que je te donne imaginent que tu rêves
le mot que je réserve rêve que tu l'imagines
et la feuille prend son vol au risque de sa verdure
aimer ne suffit pas il faut dire que tu aimes.

ANNEXE 2

Texte inédit
Dialogue imaginaire reconstruit entre l'héroïne de *Préparatifs de Noces* d'Hélène Cixous et les personnages-auteurs de *L'Isolé soleil* (Adrien / Marie-Gabriel)
(19 août 1979)

Prélude à l'écriture

La peur du corps, la peur de l'histoire et la peur des papillons de nuit sont les trois obstacles à la venue à l'écriture.

Car il faut être un peu aveugle au jour pour oser conter l'histoire de son corps ou le replacer dans une histoire d'autres. Calculer sa myopie selon les circonstances. Et c'est pourquoi tout vrai récit tourne toujours autour des quatre mondes qui forment l'univers de l'enfance : les mondes de la faim, de la peur, de l'amour et du jeu.

Et sur tous mes cahiers d'invention j'écrirai des histoires avec la peur pour le passé
avec la faim pour l'avenir
avec l'amour pour le présent
avec le jeu pour liaison.

Et je n'oublie pas que tout ce qui fait revivre la vie, ou la relire, ou la sauver, n'est peut-être rien de plus qu'un jeu d'enfants qui a la force de donner faim d'un autre monde, à défaut de calmer la faim.

— Pour moi, je sais que j'ai survécu à l'enfance en croyant dans des textes à la possibilité d'un monde tout à fait autre que le

monde ignoble dans lequel je me trouvais, le monde extérieur,
politique, colonial. Je ne décris pas de souvenirs d'enfance, mais
un éclat très intense de l'enfance dans sa totalité. Je sais que je
n'ai pas oublié, je continue à renouer avec mes premières passions
amoureuses et mes premiers deuils.

Toutes mes passions amoureuses sont des prénoms vivants.
Est-ce qu'il faudra les taire pour faire parler l'histoire ? Et mêler
l'histoire du vrai Jean-Baptiste à mon amour vrai pour Georges,
qui vivra révolté dans le carnet noir et mourra révolté dans le
carnet vert ? Et sais-tu qu'Angela retrouvera peut-être sa bague.
Mais comment imaginer cette scène sans prénom de personne ?

— Si tu ne vois pas cette scène, deux livres portant des
écritures serrées en petits caractères pourront s'ouvrir devant toi.
Ne ferme pas les yeux. Il faut que tu sois regardée par un être dans
la maturité au regard semblable à un fleuve qui coule sans jamais
baisser, sans être détourné, sans jamais rien perdre de sa force, et
sans se déborder qui ne cesse de se creuser, de s'approfondir, qui
t'entraîne à la vitesse foudroyante et pourtant immobile de son
regard, où tu ne sais pas encore que tu veux aller, car elle prend et
reprend ses sources parmi tes inconscients, et dès que tu l'auras
aperçue, tu sauras que si tu ne te détournes jamais d'elle, elle ne
se détournera jamais de toi, elle ne se retournera jamais contre
toi.

Si je vois cette scène, si j'imagine tout ce qu'il y aura
d'histoires de sang et de prénoms de tendresse, alors peut-être c'en
sera fini des lettres et des poèmes d'amour.

— Mais alors un livre pourra t'agir, dans la nuit, entre
l'absence et le silence.

Qui comblera cette nostalgie ?

— Ton âme de lecture, nourrie de jeûne et de pain de papier
qui met la vie à la bouche. Et tu te maintiendras en suspens, ni du
côté de la naissance, ni du côté de la mort.

Si l'écriture atteint un jour sa désirade, le désir enfant malade signera un roman d'amour.

— *Il n'y a pas beaucoup de livres qui sont pour toi comme l'amour. Et pour ma part il n'y en aurait pas plus que trois, mes trois livres plus de cent fois lus et relus pendant sept années, chaque page remâchée, chaque phrase sue par le cœur de chacun de mes corps de patience.*

Il faudrait que chacun offre à ceux qu'il aime le nom de ses trois livres d'amour, avec son fruit de solitude. Pour ma part, j'ai appris sur les lèvres rebelles du Cahier la langue si douce des étoiles, j'ai donné mon adhésion à tout ce qui poudroie les cœurs bien aimés d'une sève inépuisable, et j'ai traduit ses lettres pour ma sœur d'élection.

La fraternité nous a concilié tout un automne d'étoiles en connivence au fin fond des visages. Mais les ferrements d'amour ont déchiré l'autre cahier des préparatifs, offert à la terrasse du printemps avec les lèvres de mes yeux au-delà de l'abîme des ruptures sans parole : mon amour, personne d'autre que toi n'a la clé de ta vie. Elle a refusé mon présent comme s'il était un livre sans avenir.

— *Toi non plus tu ne sais plus maintenant à qui dire : mon amour ? une question qui brûle de plus en plus haut : et maintenant, à qui dis-tu : mon amour, mon amour, mon amour ? Ne la pose pas, à personne, une question verte qui est sortie de ta tête, hier, quelque chose s'est cassée dans ton âme ? à qui ? à qui ? pour ne pas répondre, dis : tu, dis : tu.*

C'est un acte d'amour que d'écrire à quelqu'un qui refuse de vous lire de peur de vous aimer.

— *Ce sera un rêve d'innocence absolue, de réponses inoubliables. Qui seras-tu ? Aimée. Quel est le nom qui te fait jouir ? celui d'Amour.*

C'est un acte d'amour que d'écrire à quelqu'un de vous aimer.

— J'entends la voix qui fait jaillir une voix d'entre mes silences, dire mon nom, oh mon amour ne rappelle pas, tellement peur d'être réveillée nulle part, ne réveiller personne.

C'est un acte d'amour que décrire quelqu'un qui refuse de vous lire de peur de vous aimer.

— Peur d'aimer l'aimée ? Peur de ne pas avoir peur ? Questions qui tombent, à côté, pas à côté de moi. À côté de la peur. Et sentir les dents s'enfoncer dans ton cœur.

C'est un acte d'amour que d'écrire à quelqu'un qui refuse de vous aimer.

— Le faire trois fois, dans l'incertitude, le temps que dans le passage sans transition entre la peur et la joie d'être celle à laquelle tu n'avais jamais rêvé, jamais osé rêver.

C'est un acte d'amour : décrire qui refuse de vous aimer.

— Et moi aussi je l'ai connue, à l'époque de la première scène de séparation, je ne l'ai pas reconnue alors je l'ai oubliée profondément, tendrement, je l'ai gardée perdue dans le jardin de mémoire afin de mieux la retrouver, au-delà des régions de séparation.

C'est un acte d'amour de vous lire.

— Personne ne m'interdit de me révéler le vrai nom de l'amour, c'est la langue de l'aimée qui l'a glissée dans ma bouche.

C'est un acte d'amour : quelqu'un qui refuse de vous lire de peur de vous aimer.

— Entre le paradis d'avant et le paradis d'après, un rêve t'attend au tournant. Des puissances bien connues t'ont à l'œil depuis la première minute de ta résurrection. Ne les nomme pas.

C'est un acte d'amour que décrire la peur d'aimer.

— *Il y a une lettre qui ne peut ni s'écrire ni s'arrêter de s'écrire. Mais impossible de sauver l'écriture. Les pensées réfugiées hier dans le cahier : tu n'écriras pas et tu ne mourras pas. Les pensées auxquelles tu ne te sens plus obligée de prêter un bout de papier.*

C'est un acte d'amour que d'écrire de peur d'aimer.

— *Mais je suis celle que le stylo ne peut plus retenir. Ton écriture dépend de moi. Qui moi ? Nous. Écrire : nous. C'est le stylo qui ne peut pas se détacher du mot, et nous aussi est fantôme. Quelqu'un n'a pas fini de souffrir dans ce cahier ? et j'avais de plus en plus de mal à te regarder errer le long des pages piégées du cahier désespéré.*

C'est un acte d'amour que d'écrire, de lire :

— *« Est-ce que toi et moi un jour dans dix ans nous verrons encore une fois une mer ensemble ? »*

C'est un acte d'amour que d'écrire à quelqu'un qui refuse de vous dire la peur de vous aimer.

— *Je ne lui aurais jamais demandé : « Est-ce qu'on verra une montagne, d'un même regard, un jour avant la mort ? » Mais c'est moi qui entends sa pensée remonter un silence qui ne se voit pas tomber sur moi de tout son ciel de plomb pour dire : « Je ne sais pas. C'est difficile ».*
Car il est difficile en vérité, dans l'éloignement d'atteindre une mer, il est difficile d'arriver au pied d'une montagne, quand il est déjà presque impossible de traverser une rue ensemble dans les villes d'exclusion.

C'est un acte d'amour de vous dire de vous aimer.

— *Car il faut avoir perdu la moitié de la tête, pour en être à demander à la Vie un peu de vie, rien qu'un peu. Il faut avoir perdu la vérité de la Vie, ne pas l'avoir perdue, ne l'avoir jamais connue, pour demander à la Vie moins que toute la vie. C'est pourquoi je ne lui demande rien. Pas ici, maintenant.*

C'est un acte d'amour que d'écrire d'aimer.

— *Je me vois, à la fin de ma trentième année, debout devant un lit grand comme la terre, et aussitôt, sans image intermédiaire, je vois mon corps arc-en-ciel penché au-dessus d'une femme toujours aimée, celle que j'avais toujours aimée sans personne parmi moi pour me l'apprendre, me le faire dire avec ma voix, personne pour me faire entendre ce que j'avais toujours su, toujours ignoré, pour ne l'avoir pas nommée. Qui ? Tous ses noms m'étaient familiers. Tous les prénoms de la vie et tous les noms des passions. Et je les avais dits mille fois sans comprendre que c'était elle qu'ils appelaient.*

Écrire refuse la peur d'aimer.
Écrire est un acte d'amour.

Seulement il faut que je vous le crie : je n'ai pas l'intention d'errer dix ans en silence dans la publication de solitudes imprimées ; la lampe de minuit ne me cachera pas la pleine lune, et chaque stylo sera un donneur universel de nos sangs d'encre. Je ne laisserai pas mon écriture en cage, comme un acte de propriété protégé de vos regards et vos questions.

Et je recopierai vos paroles, attentif aux lèvres closes et aux cœurs ouverts de vos quatre races, vos sept langues et vos douzaines de sangs.

Je relierai toutes vos mémoires, puis je relierai vos livres à vos oreilles.

Pour ma part, je tiens plus à mon être qu'à mon nom, et mon cœur bat pour se garder ouvert à vous.

Car j'appelle grand amour l'amour de je, tu, aile, nous, vous, îles.

ANNEXE 3

Variante inédite
Première version du premier chapitre de *L'Isolé Soleil*
(20 août 1979)

Lorsqu'au crépuscule du 21 juin 1962, je montai pour la seconde fois de ma vie l'allée qui menait à l'habitation déjà tout illuminée pour l'anniversaire de Marie-Gérard, j'étais tout à la fois inquiet et sûr de moi, ne sachant pas trop si elle allait recevoir mon cadeau comme un présent d'orgueil ou de modestie.

Elle était coiffée d'un grand chignon composé de nattes rajoutées qui lui faisait encore plus une tête de chat. Ses yeux immenses et effilés et son sourire légèrement de côté semblaient toujours hésiter entre le clin d'œil d'affection discrète, et la retenue inquiète du félin.

Je savais que tu me porterais un livre, me dit-elle en m'accueillant. Je vois ça à la forme du paquet. Est-ce que je dois encore deviner l'auteur et le titre, comme monsieur aime à s'amuser?

— Cette fois-ci, tu n'aurais vraiment aucune chance de le trouver!

— Mais quelle précieuse indication! Voyons, ce sont peut-être les *Illuminations* de monsieur Adrien? ou ses premiers dessins d'enfant? Son Golden ou son Black notebook? Ses œuvres incomplètes ou son cahier de textes ou son brillant livret scolaire?

Je sentis une grande chaleur dans mes fossettes, et je lui dis: Marie-Gérard, c'est le début d'une histoire que j'ai commencée ce mois-ci. Je te l'ai dédiée, mais j'aurais surtout voulu savoir sincèrement ce que ça vaut.

Elle redevint brusquement sérieuse et retenue :

— Qu'est-ce que ça raconte ?

— Nos deux premières rencontres.

Son sourire de côté retrouva ses lèvres presque rassuré : Ah ! je vois… Viens boire quelque chose et dire bonjour à tout le monde. Tes copains Rénald et Guy sont déjà là. Cousinette Aline fera les autres présentations. Je vais poser ça précieusement dans ma chambre, pour lire après.

— Ça vaut mieux, je ne tiens pas à être exposé entre les fleurs, les disques et les gâteaux ! D'ailleurs par précaution, j'ai mis ma petite histoire dans un exemplaire de *Ferrements*, le nouveau livre de poèmes de Césaire, au cas où de petits curieux auraient voulu voir ce que je t'ai apporté.

— Dis donc ! monsieur s'entoure de Césaire. Quelle marque de modestie ! Alors, ça me fait deux cadeaux de toi…

J'ai passé presque toute la soirée sur la galerie, près des haut-parleurs, pour mieux entrer dans la rythmique des Haïtiens de Nemours Jean-Baptiste, qui faisaient fureur ce mois-ci. J'avais toujours un peu peur de danser, non pas que je ne sache pas, car je pouvais toujours très bien suivre avec mon amour du rythme, mais je ne savais jamais quoi dire à la fille avec qui je dansais, surtout si je la connaissais déjà un peu. J'ai dansé trois meringués avec Aline, la cousine de Marie-Gérard, toute frêle avec des yeux verts, mais toujours prête à chauffer plus que les autres, comme si le bain de rythme avait la vertu de foncer sa peau trop claire pour son goût, problème dont elle m'avait curieusement fait la confidence au bout d'une heure d'amitié.

On ne voyait pas beaucoup Marie-Gérard. Je l'invitai à danser *Augustia*, un boléro d'Alberto Bertràn avec la Sonora Matancera que j'aimais bien :

Est-ce que tu sais le danser au moins ?

— Pas très bien, miss, mais tu feras la prof !

— Parce que les boléros, pour moi c'est sacré, c'est mon père qui m'a appris, et d'ailleurs, je ne les danse le plus souvent qu'avec lui, c'est le Fred Astaire du Boléro-cha. Au fait, tu sais qu'il doit arriver de France demain. Tu ne devineras jamais ce qu'il me rapporte comme cadeau. Cherche bien quelle est la plus belle chose qu'un père peut offrir à sa fille chérie. Si tu trouves, je danse avec toi tous les autres boléros !

Vers les onze heures, les ardeurs s'étaient provisoirement calmées. La pleine lune s'était levée dans le ciel dégagé. C'était la pause-Matété. Les plus gouloupiats s'empiffraient de riz dans leurs assiettes en carton en négligeant les crabes trop longs à déguster. Les plus délicats suçaient avec lenteur le jus de chaque petite pince et la chair autour des yeux. Les plus costauds cassaient pour les filles les gros mordants d'un coup sec des molaires. Le piment mouillait les visages. En attendant la reprise, on se reposait les oreilles avec un vieux disque de slows antillais, spécialité locale à base de cadence créole et de paroles niaises et fades mais toujours en français à rimes richissimes. Comme s'il n'était vraiment pas possible de parler d'amour en créole, comme si les chagrins ou les déclarations étaient trop sérieux ou trop dérisoires pour la langue créole, à laquelle les orchestres réservaient l'exclusivité des allusions cochonnes et les fanfaronnades viriles au rythme des biguines et des calypsos.

J'étais assis sur une marche au pied de la galerie. Marie-Gérard vint à côté de moi avec un verre de champagne et son éternelle pomme-France à la main. Elle regardait droit devant elle, comme pour mieux faire entrer sa voix dans mes pensées, et me dit très doucement :

— Tu sais, je suis un peu contre les souvenirs d'enfance… Je crois qu'ils endorment le cœur comme une comptine près d'un berceau. Ce sont sans doute les plus beaux, mais les Antillais ne sont pas des enfants qui vont prendre sommeil, ce sont des volcans endormis qu'il nous faut réveiller avec des histoires de zombies, des histoires de macaques, de bambous, de rhum sec et de coutelas.

— Pourquoi tu dis : Nous ?

— … Tu veux finir ma pomme ?

— D'accord, mais pourquoi tu n'arrêtes pas d'en manger ? Tu n'as même pas goûté au boudin et au matété.

— Oh ! ça, ça vient d'un petit jeu avec ma grand-mère. Je veux lui prouver la légèreté de mes dix-sept ans.

— Avec des pommes-France ? Je sais bien que ça fait digérer et que ça sert le soir de brosse à dents ! En tout cas, elles ont un parfum magnifique. Chaque fois que je mords dans une pomme, son odeur me rappelle toujours la fête de Noël des enfants de fonctionnaires au Darbaud à Basse-Terre, quand, après le spectacle, on ouvrait le sachet de cadeaux contenant un petit livre ou un jouet et toujours une belle pomme-France dont on humait le parfum tout au long du chemin du retour. C'est un de mes plus beaux souvenirs d'odeur, avec celle du soufre du volcan la première fois où mes parents m'ont emmené camper aux Sources du Galion avec leur Club des montagnards.

— Tu vois bien, reprit toujours aussi doucement Marie-Gérard, ton odeur de soufre n'a aucune chance de durer contre la saveur sucrée d'une pomme-France.

— J'avais six ans. Il faisait froid en sortant de sous la cascade d'eau chaude sulfureuse. J'ai dû avoir le mal de montagne. Et j'ai bu ma première goutte de rhum et fumé ma première bouffée de cigarette Job, qu'on m'a donné pour me réchauffer. Ça m'a achevé. Je me suis endormi au pied de ma mère dans l'odeur du volcan. Et je sais aujourd'hui que je n'aurai jamais peur ni des zombies ni d'aucune éruption de la Soufrière…

Marie-Gérard s'était un peu retournée pour regarder parler mes mains. Après un silence, elle reprit :

— Je te dis merci vraiment pour ton cadeau. Tu nous as bien raconté. Mais je trouve que tu ne parles pas assez longtemps du prof raciste et de l'élection du maire de Saint-Claude.

— Mais le prof, tu le connais aussi bien que moi, et la politique, j'ai cru que ça ne t'intéressait pas !

— Est-ce que tu veux dire que tu as écrit ces pages en pensant seulement à moi ? et à ma réaction de lectrice ? Est-ce que tu sais que c'est une perte de temps d'écrire des histoires pour une seule personne ? C'est à cause de ça que je n'arrive pas à écrire une seule ligne ! Tu ne sais pas que c'est la solitude qui tue ce pays ! Et que la plus haute solitude, c'est d'écrire tout seul la nuit pour un seul supposé lecteur ?

— Tu oublies les lettres d'amour dans ta théorie ! Mais tu me diras que ce n'est pas…

— Je suis sûre d'une chose, interrompit-elle en mettant sa main sur mon genou, c'est que les seules vraies lettres d'amour sont celles qu'on peut faire lire à deux personnes, sans que ça abîme l'amour du destinataire. Mais ça, je ne peux pas encore le prouver !

— Est-ce que tu manquerais par hasard de matériau, reçu ou expédié ?

— De matériau écrit surtout. Non mais sérieusement, je crois qu'on ne peut connaître le vrai amour qu'après avoir bien vécu.

— Vrai, bien, l'amour a-t-il besoin de ces mots-là ? Et puis bien vivre, ça commence quel jour par quel signal ? … Tiens, ils ont mis un cha-cha de Célia Cruz : c'est *Yerbero moderno*, avec la Sonora Matancera : deux trompettes plus fines que toute la section de Duke Ellington et le meilleur pianiste de toute l'Amérique, autrement dit le meilleur de Cuba ! Ça ne se danse pas collé-serré. Tu ne craindras rien pour tes jolies chaussures ni moi pour la comparaison avec ton précieux papa.

— D'accord on y va. Tu sais, j'aime bien ton histoire quand même.

À ce moment, je reconnus au bout de l'allée le clignotant de la voiture de mon père qui venait me chercher pour rentrer à Saint-Claude. Le temps de dire au revoir à la compagnie, et de laisser Rénald qui rentrait avec nous finir sa troisième assiettée de matété, et nous redescendions, accompagnés par Aline et Marie-Gérard.

Aline me prit le bras :

— J'aime bien le livre de Césaire que tu as porté à cousinette. Je l'avais déjà acheté à Pâques pour moi. Tu as lu « En vérité » ? C'est mon poème préféré, le dernier du recueil :

la nuit en feu, la nuit déliée
le feu qui de l'eau nous redonne
un enfant entrouvrira la porte…

— Il faudra qu'on se revoie avant la sortie des classes, reprit Rénald. Il y a une dernière séance de Ciné-club samedi à Gerville-Réache avec un film de Godard. Mais si c'est trop intellectuel pour ces dames, on peut sécher pour la matinée du Darbaud. Ils passent Django contre Zorro ! Collé, collé, collé, collé, missié Zorro !

— Quand je pense, dit Aline, que tous les nègres aliénés de la salle supportent pour Zorro le Blanc contre Django le Négro !

— Moque-toi toujours, dit Marie-Gérard, moi j'aime bien ces films-là. Depuis petite, j'allais parfois avec mon père.

— Encore lui, dis-je. Papa-boléro contre Django !

— Moquez-vous toujours. Au fait, dit-elle en m'embrassant, il faudra que tu m'expliques ta dédicace : *Une seule goutte d'eau peut faire déborder le rêve*. Ça a trop de sens cachés pour mon tout petit cœur.

— C'est sûrement un vers de Césaire, dit Aline.

— Merci pour moi, mais ce n'est pas de lui. Mais ça vient d'un poème où il donne la recette pour fertiliser le désert.

— C'est facile, coupa Rénald, il n'y a qu'à soulever les montagnes. Pas besoin d'être poète pour savoir ça. Eh ! bien, mes damoiselles, recevez nos respectueux hommages de la nuit. Faites de beaux rêves et encore merci.

Nous entrons dans l'Opel pendant que les deux cousines saluent mon père et nous souhaitent bonne arrivée.

Plus tard, dans ma chambre, je laissai allumé un moment malgré l'heure, car je voulais relire le brouillon de mon histoire pour voir si elle était aussi dangereuse que Marie-Gérard semblait le craindre pour l'avenir du pays et de ma solitude. Je la relus dix fois. Le sommeil s'installa sur ma lecture comme un chat sur le journal. Je fus réveillé par une brusque explosion au sommet de la Soufrière.

ANNEXE 4

Premier poème

Le volcan solidaire lave avec le temps la soufrière endormie de
    mon adolescence en souffrance de désirs
L'énergie de nos cyclones m'a confié le courage de nos pirogues
    en dérade
Les salaisons d'écume ont décoré ma peau de la veine créatrice des
    épiphytes de nos sous-bois
Et le soleil feu frère à mes yeux passionnés s'est installé en
    vigilance.

(Saint-Claude, Guadeloupe, 1960.)

* * *

La Soufrière étoile de fumerolles l'irruption volcanique des
    insoumissions
le cyclone annoncé m'a rythmé le retour des pirogues en dérade
mon écorce marronne s'est pigmentée de sel en épiphytes marines
les fifines en pluie m'ont fraîchi la mémoire d'embellies assoiffées
et le soleil feu frère à mes yeux s'est installé en vigilance

(Paris, 1961.)

ANNEXE 5

**L'Île et une nuit
Cinquième heure**

(Première version du début du chapitre :
La musique prend la parole)

Tu n'es plus seule avec ta médiation de mots.

À cette heure d'écrasements intérieurs, j'ai trop à faire, j'ai trop à lui dire pour pouvoir le dire en abusant encore de la médiation des mots.

J'ai l'urgence de briser ce caillot d'angoisse qui patrouille en elle à vif de plus en plus profond jusqu'à trouver le coup mortel au cœur qui la brisera avec sa solitude.

L'urgence est de déménager le restant des choses précieuses du salon. La tôle reclouée sur la paroi de la vieille cuisine ne tiendra pas longtemps. Le sifflement du vent entre les lames révèle déjà à mon oreille la longueur de la fissure. Le vieux piano désaccordé, la contrebasse sans cordes peuvent rester mourir là. Reste à sauver la paire de tumbas cubaines, la minichaîne, et tout le lot des cassettes et des CD, sans oublier bien sûr la valise des disques paternels et le tableau *La Jungle*, où je vois une forêt d'arbres-danseurs aux pieds nus en attente de mélodie.

En trois voyages, elle transporte le tout dans la petite salle de bains, trouvant même une place pour la vieille contrebasse, son instrument préféré, corps de femme à voix d'homme, dont la pique, l'âme et le cordier sont encore intacts, tout prêts un jour à faire vibrer de nouveau en elle leur son de cœur de terre.

La violence des bruits a redoublé aux oreilles distraites par la trêve de l'œil.

Pour moi, j'ai l'habitude de soutenir le regard sans l'appui des paupières pour l'aide des yeux fermés.

Tant de mots se proposent pour me rythmer. D'ordinaire je ne leur dis rien, car je fais tout savoir en appelant les choses par leur son.

La brise est ma nostalgie, le cyclone imite ma colère, mais s'il cherche à enfoncer les fenêtres et les portes fermées, moi je les traverse sans souci des serrures. Car étant parfaitement aveugle, je suis par ma nature ignorante des murs.

Je connais très bien toutes les formes du vent. J'aime quand il interrompt la chute des feuilles pour une dernière danse. J'aime quand il fait dévier la flèche hors du plein cœur. Et qu'il disperse les cartes comme ce soir pour une donne nouvelle et plus égale : qui a le moins perdra le moins, qui a plus aura plus perdu.

La lumière est de plus en plus noire autour d'elle, mais là aussi je suis hors d'atteinte de tout regard. Si l'œil ne trahit que la clarté, moi je pourrai encore accompagner deux à trois temps l'éclat terrorisé de ses yeux refermés.

Elle va se réfugier tout entière dans la salle de bains. À qui n'a plus d'espace, j'ai aussi l'habitude de recréer un lieu, comme j'abandonne ma voix à l'imagination de qui n'a plus de mots pour nommer son angoisse et son blues.

Face au miroir elle suce son doigt blessé pour engourdir l'hémorragie, puis le plonge dans le flacon d'alcool pour le désinfecter, et le protège d'un sparadrap. Toujours transie, fatiguée affaiblie par les va-et-vient entre le salon et la salle de bains, les bras chargés des livres qu'elle a aussi voulu sauver, elle reprend une rasade du café tiède au goulot du Thermos. Elle trempe le petit doigt valide dans le flacon d'alcool pour recueillir deux gouttes et humecter sa langue d'une brûlure tonique et éloigner la sensation d'évanouissement qu'elle a senti passer.

Deux petits matelas tapissent la baignoire. Surtout ne pas se laisser prendre par l'envie de s'endormir, blottie dans son giron.

Mes odeurs familières de nuits blanchies jusqu'aux petits matins d'effluves d'alcool et de café ramènent à moi son imagination. Boite de bain, salle de nuit, assise sur le rebord de la baignoire, elle allume sa troisième cigarette de la nuit. Fumée brûlante aux yeux rougis, toussotement d'air confiné de cave humide, elle abandonne sa tête renversée au balancier de son cou, les yeux mi-clos sur la spirale tiède de la fumée de cigarette que son souffle affolé libère au rythme de son gros cœur battu.

C'est la nuit comme je l'aime, quand je règne en maîtresse sur les malheurs et sur les communions des solitudes assemblées, quand je rythme l'envol la danse de vies tronquées pour que la mort au bar n'ait ni le dernier mot ni le dernier silence.

L'Île et une nuit
Cinquième heure

(Version définitive publiée)

Ta cinquième heure, je vais l'accompagner. J'appellerai tous tes maux par leur son.

Car la violence a redoublé, surprenant tes oreilles distraites par la trêve de l'œil.

Le vent acharné tambourine à tes portes barricadées. Mais moi, vers toi je les traverse sans souci des serrures, car étant parfaitement aveugle, je suis par ma nature ignorante des murs.

La tôle que tu as reclouée ne tiendra plus longtemps. Mon vieux piano désaccordé, ma contrebasse sans cordes peuvent rester mourir là avec le salon. Mais essaie de sauver la paire de congas cubaines, la minichaîne, et tout le lot de disques et de cassettes. Sans oublier de décrocher ta *Jungle*, cette forêt de danseurs aux pieds déracinés en attente de ma rumba.

De ton cœur jusqu'à ton oreille, j'ai remonté la pente pour résister avec toi dans la vieille maison qui s'écroule pièce à pièce, et qui craque et qui crie sous les hurlements du vent ivre. Et je l'entends par-dessus moi qui délite en fétus les palissades d'essentes, redoublant tôle après tôle l'attaque de la charpente, et infiltrant des serpents d'eaux ruisselantes par le galetas.

N'aie pas peur : je connais très bien le fonctionnement du vent. J'apprécie qu'il transfigure la chute des feuilles en une dernière danse, ou qu'il disperse les cartes comme ce soir pour une donne nouvelle et plus égale : qui a le moins perdra le moins, qui a plus aura plus perdu.

En trois voyages tu m'as presque toute émigrée avec toi dans l'étroite salle de bains, protégée encore par le couloir et les pièces alentour déjà investies. Tu as même trouvé une place pour la contrebasse, corps de femme à voix d'homme, dont la pique et le cordier intacts me font rêver de cordes neuves pour refaire battre le cœur des sons. Le piano est resté pour un dernier solo. Ne cherche surtout pas déjà l'issue de ton nouveau refuge. Si tu n'as plus d'espace, j'ai aussi le pouvoir de libérer le temps. J'ai l'habitude d'évoquer des regards sans l'aide des yeux. Avec moi tu ne seras plus seule pour ton blues et pour ton combat : tu vas te souvenir et je vais t'enchanter.

C'est la vie comme je l'aime, *Stormy Weather*, quand je pèse les maux avec le poids des sons, abattant la mesure entre désastre et connivence, dans la langue des oiseaux.

Face à ton grand miroir, suce ton doigt blessé pour engourdir l'hémorragie, arrose-le d'alcool pour le désinfecter. Prends une rasade du café refroidi au goulot du thermos ; puis trempe un doigt dans le flacon d'alcool afin d'humecter ta langue d'une brûlure tonique, pour ne pas tomber mal du coup au cœur que j'ai senti passer.

Mes effluves familiers de nuits blanchies, d'alcool et de café remontent en toi, brûlant à petit feu ton espoir confiné. Boite de bains, salle de nuit, assise sur le rebord de la baignoire, allume ta troisième cigarette et ne dis rien, abandonne ta tête au balancier du cou, que je te touche sans les mains.

C'est la nuit comme je l'aime, l'heure bleue d'après minuit, quand j'accompagne les danses de survie pour que bonheurs ou malheurs épargnent le silence.

TABLE DES MATIÈRES

Composition, mise en pages :
Écriture Paco Service
27, rue des Estuaires - 35140 Saint-Hilaire-des-Landes

Achevé d'imprimer en mars 2000
sur les presses de la Nouvelle Imprimerie Laballery
58500 Clamecy
Dépôt légal : mars 2000
Numéro d'impression : 003057

Imprimé en France

ÉDITIONS KARTHALA

(extrait du catalogue)

Collection *Méridiens*

Philippe L'HOIRY, *Le Malawi.*
Alain et Denis RUELLAN, *Le Brésil.*
André LAUDOUZE, *Djibouti.*
Antonio RALLUY, *La Nouvelle-Calédonie.*
Christian RUDEL, *Le Paraguay.*
Catherine BELVAUDE, *L'Algérie.*
J.-P. LOZATO-GIOTARD, *Le Maroc.*
Michel POUYLLAU, *Le Venezuela.*
Christian RUDEL, *L'Équateur.*
Catherine FOUGÈRE, *La Colombie.*
Yvonne FRANÇOIS, *Le Togo.*
Marc MANGIN, *Les Philippines.*
Robert AARSSE, *L'Indonésie.*
Patrick PUY-DENIS, *Le Ghana.*
Marc-Antoine DE MONTCLOS, *Le Nigeria.*
Mihaï E. SERBAN, *La Roumanie.*
Pierre VÉRIN, *Les Comores.*
Marie LORY, *Le Botswana.*
Leonas TEIBERIS, *La Lituanie.*
Daniel JOUANNEAU, *Le Mozambique.*
Ezzedine MESTIRI, *La Tunisie.*
Attilio GAUDIO, *Les îles Canaries.*
Christian RUDEL, *La Bolivie.*
Marc LAVERGNE, *La Jordanie.*
Pierre PINTA, *Le Liban.*
Guy FONTAINE, *Mayotte.*
Jane HERVÉ, *La Turquie.*
Maryse ROUX, *Cuba.*
Kamala MARIUS-GNANOU, *L'Inde.*
Joël LUGUERN, *Le Vietnam.*
Christian RUDEL, *Le Mexique.*
Soizick CROCHET, *Le Cambodge.*
Muriel DEVEY, *La Guinée.*
S. CHAMPONNOIS et F. de LABRIOLLE, *L'Estonie.*
Jean CHAUDOUET, *La Syrie.*
Georges LORY, *L'Afrique du Sud.*
Christian RUDEL, *Le Portugal.*
Philippe DAVID, *Le Bénin.*
Frauke HEARD-BEY, *Les Émirats arabes unis.*
S. CHAMPONNOIS et F. de LABRIOLLE, *La Lettonie.*
Carine HANN, *Le Laos.*
Jacqueline THEVENET, *La Mongolie.*
Muriel DEVEY, *Le Sénégal.*